C0-AVH-739

CANTIONES GERMANICAE

TEXTUS PATRISTICI ET LITURGICI
quos edidit Institutum Liturgicum Ratisbonense
Fasc. 14

CANTIONES GERMANICAE

im Regensburger Obsequiale von 1570

Erstes offizielles katholisches Gesangbuch Deutschlands

herausgegeben von

KLAUS GAMBER

KOMMISSIONSVERLAG FRIEDRICH PUSTET
REGENSBURG

Gymnasialprofessor i. R.
Dr. AUGUST SCHARNAGL
dem langjährigen Kustos der Proske-Bibliothek
zum 70. Geburtstag
am 1. Juni 1984

Gedruckt mit Unterstützung des Bischöflichen
Stuhles von Regensburg

Gesamtherstellung Friedrich Pustet
Printed in Germany
ISBN 3-7917-0881-3

Vorwort

Die vorliegende Facsimile-Ausgabe des Kirchenliedanhangs im Regensburger Obsequiale (Rituale) von 1570 herauszubringen schien angebracht zu sein, da sich von diesem frühen Druck nur mehr wenige Exemplare erhalten haben und es sich außerdem, wie zu zeigen sein wird, um das erste katholische Gesangbuch Deutschlands mit amtlichem Charakter handelt.

Mit dieser Edition verbunden sind kurze Ausführungen darüber, wie es in den Jahren unmittelbar nach dem Konzil von Trient zu dieser Sammlung alter Kirchenlieder gekommen ist. Des weiteren wird von den volksliturgischen Bestrebungen gehandelt, die im Jahrhundert vor Martin Luther in weiten Teilen Deutschlands vorhanden waren, wobei die Verwendung von Kirchenliedern im Gottesdienst neben der Übersetzung von Teilen der liturgischen Bücher in die Volkssprache eine wichtige Rolle gespielt hat. Luther brauchte diese Bestrebungen damals nur aufzugreifen.

In zwei Exkursen werden Aufsätze zu diesem Thema abgedruckt, die ich in den Jahren 1941 und 1942 veröffentlicht habe, als ich mehrere Monate in Erfurt in Garnison lag und dadurch Gelegenheit hatte, mitten im Krieg die dortige Dombibliothek sowie die Bibliotheca Amploniana mit ihren reichen Schätzen an Handschriften und Inkunabeln zu besuchen.

Im Anhang veröffentlicht Sieghild Rehle, meine langjährige Mitarbeiterin im Liturgiewissenschaftlichen Institut Regensburg, den kulturgeschichtlich interessanten Reisebericht eines Regensburger Rompilgers vom Jahr 1867, kurz vor dem Ende des Kirchenstaates und der Einnahme Roms. Dieser Bericht zeigt, mit welchen Strapazen damals eine solche Wallfahrt zu den Gräbern der Apostelfürsten verbunden war, aber auch mit welcher Andacht und Frömmigkeit diese Reise angetreten wurde.

Im Heiligen Jahr der Erlösung 1983 Klaus Gamber

Vorwort von Dr. Paul Mai

Am 1. Juni 1984 kann Prof. Dr. August Scharnagl seinen 70. Geburtstag feiern. Sein Leben war und ist der Musikwissenschaft gewidmet. Schon das Thema seiner Dissertation »Franz Xaver Sterkel, ein Beitrag zur Musikgeschichte Mainfrankens«, mit der er 1940 an der Universität Würzburg zum Dr. phil. promovierte, weist auf den Weg hin, den er später in Lehre und Forschung beschreiten sollte. Allerdings blieb Dr. Scharnagl nicht der regionalen Ebene verhaftet, seine nach Kriegsende aufgenommene Forschungs- und Arbeitsbereiche waren die katholische Kirchenmusik im allgemeinen und Beiträge zur bayerischen Musikgeschichte. So erschien 1980 seine »Einführung in die Geschichte der katholischen Kirchenmusik«, die einmal als ein souveräner Längsschnitt durch die Stilentwicklung bezeichnet wurde, wobei ihn ausgeprägter Sinn für historische Zusammenhänge immer streng auf dem Boden der Musikgeschichte bleiben ließ. Als 1957 die »Gesellschaft für Bayerische Musikgeschichte« ins Leben gerufen wurde, gehörte er zu den Gründungsmitgliedern. Leider kam, als man das 25jährige Jubiläum feierte, die Tatsache etwas zu kurz, daß die Initiative eine solche Institution zu gründen von Dr. August Scharnagl und dem Regensburger Musikwissenschaftler Bruno Stäblein ausging. Das Jahr 1955 setzte für die Tätigkeit Dr. Scharnagls einen neuen Akzent, als er zum ehrenamtlichen Custos der weltberühmten Proske'schen Musikbibliothek in Regensburg bestellt wurde. Um die Bedeutung und Verantwortung dieses Amtes verstehen und würdigen zu können, sei kurz auf die Entstehung dieser einzigartigen Sammlung hingewiesen. Carl Proske (geb. 1794, † 1861) war ursprünglich Arzt, ehe er in den zwanziger Jahren des 19. Jahrhunderts in Regensburg Theologie studierte. 1830 wurde er als Kanonikus in das Kollegiatstift Unserer Lieben Frau zur Alten Kapelle in Regensburg aufgenommen. Unter großen Opfern sammelte er in Deutschland und Italien die Meisterwerke des 16. und 17. Jahrhunderts. Seine große, an Originalen reiche Bibliothek mit über 36000 Nummern vermachte er dem Bischöflichen Stuhl von Regensburg. Als 1972 unter Bischof Dr. Rudolf Graber das Bischöfliche Zentralarchiv und die Bischöfliche Zentralbibliothek errichtet wurden, kam die Sammlung Proske, erweitert um die Sammlungen Mettenleiter, Witt und Haberl als Abteilung »Proske'sche Musikbibliothek« an die Bischöfliche Zentralbibliothek. Prof. Dr. August Scharnagl ist der profunde Kenner dieses Bestandes. Wenn andere sich in diesem Alter längst auf das Altenteil zurückgezogen haben, sprüht der Jubilar noch von Aktivitäten. Es ist nur zu wünchen – ad multos annos!

Msgr. Dr. Paul Mai, Bischöfl. Bibliotheksdirektor

Inhalt

Einleitung

Bevor wir uns der Facsimile-Ausgabe des ältesten gedruckten Regensburger Gesangbuches von 1570 zuwenden, das sich in einem »Obsequiale«, d. i. einem Diözesan-Rituale, befindet und deshalb ein offizielles Gesangbuch, ja das erste dieser Art in Deutschland überhaupt, darstellt, müssen wir es in die Liturgiegeschichte des Spätmittelalters und der Reformationszeit einordnen.

Der rasche Erfolg der von Martin Luther ausgehenden kirchlichen Bewegung beruht zweifellos neben der regen Predigttätigkeit der evangelischen Pastoren und der neuen Übersetzung der Bibel durch den Reformator nicht zuletzt in der reichen Verwendung deutscher Kirchenlieder im protestantischen Gottesdienst. Es ist jedoch sicher falsch, gemäß der früher oft gebrauchten Sentenz: »Vor der Reformation gab es in Deutschland zwar geistliche Lieder, aber deutsche keine, die in der Kirche wären gesungen worden«,[1] in Luther den eigentlichen Schöpfer des liturgischen Kirchenliedes sehen zu wollen.

Der Reformator hat keineswegs als erster deutsche Kirchenlieder neben dem traditionellen gregorianischen Choral im Gottesdienst eingeführt. Er steht vielmehr, wie in seiner Theologie so auch hier, ganz in den Vorstellungen und Gegebenheiten des Spätmittelalters,[2] wo man in einer Zeit des von der italienischen Renaissance ausgehenden Selbstbewußtseins der Menschen bestrebt war, den Gläubigen am gottesdienstlichen Geschehen verstärkt Anteil zu geben.

Man kann sogar mit einem gewissen Recht von volksliturgischen Bestrebungen im Spätmittelalter sprechen, wenn diese auch lange nicht das Ausmaß der liturgischen Bewegung in den zwanziger und dreißiger Jahre unseres Jahrhunderts, etwa unter Romano Guardini oder Pius Parsch, angenommen haben. Nach dem Konzil von Trient trat dann in der Gegenreformation, bedingt durch die Abwehr des Protestantismus, diesbezüglich leider wieder ein Rückschritt ein.

So wurde der Gesang deutscher Kirchenlieder, wie er sich inzwischen vielerorts in der Messe eingebürgert hatte, jetzt offiziell nur noch vor und nach der Predigt sowie bei Prozessionen gestattet (s. unten). Zuvor hatte schon das Basler Konzil von 1453 (Sessio 21) und in Bayern die Synode von Eichstätt 1446 ausdrücklich verboten, die lateinischen Choralgesänge abzukürzen und Lieder in der Volkssprache (cantilenae saeculares) in die lateinischen Gesänge einzufügen,[3] freilich ohne viel Erfolg, wie gezeigt werden wird.

Ausgesprochen volkstümlich waren im Mittelalter die Mysterienspiele mit ihren anfänglich nur lateinisch vorgetragenen Liedern, die innerhalb der offiziellen Liturgie einen festen Platz erobert hatten. Beliebt waren dabei die Marienklage (Planctus Mariae) bei der Kreuzverehrung am Karfreitag[4] und vor allem die mit der Feier der Ostermatutin verbundenen Osterspiele,[5] die zunehmend auch in deutscher Sprache gehalten waren. Aus der Alten Kapelle in Regensburg ist ein solches Osterspiel mit deutschen Liedern in einer Handschrift des frühen 17. Jh. erhalten geblieben.[6]

Obwohl einzelne Kirchenlieder bereits seit dem 9. Jh. bezeugt sind – das älteste ist das wohl in Regensburg entstandene, in einer Freisinger Handschrift des beginnenden 10. Jh. überlieferte Petruslied[7] –, gab es in der Zeit vor Luther keine Texte, die als Ersatz für die lateinischen Choralgesänge bestimmt waren. Eine diesbezügliche Neuerung geht zweifellos auf den Reformator zurück, indem er deutsche Nachdichtungen liturgischer Gesänge, wie das Lied »Jesaja dem Propheten« anstelle des »Sanctus«, bzw. direkte Neuschöpfungen anstelle der Gesänge des Graduale und Antiphonale setzte.[8]

Das vorreformatorische Kirchenlied hatte ausschließlich die Aufgabe, den Gläubigen zusätzlich zu den rituellen Gesängen oder in Verbindung mit diesen Gelegenheit zu geben, in der Muttersprache das Gotteslob zu singen.[9]

Im Volke sehr beliebt war das seit dem 12. Jh. handschriftlich bezeugte Lied »Christ ist erstanden«. Es erklang ursprünglich vor allem bei der »Visitatio sepulchri« am Schluß der Ostermatutin, vielfach in Verbindung mit dem Osterkuß und dem dabei gesprochenen »Christus surrexit« (Christus ist erstanden) oder mit der an dieser Stelle vielerorts gesungenen Sequenz »Victimae paschali laudes«.[10] Es hatte in etwa die gleiche Bedeutung wie das Osterlied »Christos anesti ek nekron« in der Liturgie der Ostkirche.[11]

Im Regensburger Dom wurde das »Christ ist erstanden« nach Ausweis des »Ritus Chori majoris ecclesiae Ratisponensis« von 1571 sowohl am Schluß der Ostermatutin als auch nach der sich daran anschließenden Mitternachtsmesse, die am Stephansaltar gefeiert wurde, gesungen.[12]

Ebenfalls in Verbindung mit der Matutin steht das seit dem 14. Jh. bezeugte, sicher aber wesentlich ältere Weihnachtslied »Syt willekomen heire krist«. Nach dem Directorium chori des Aachener Domes aus der Mitte dieses Jahrhunderts wurde es am Fest der Geburt des Herrn gegen Schluß der Matutin nach der Evangelienlesung des »Liber generationis« vom Volk gesungen, worauf dann das »Te Deum« und die Mitternachtsmesse folgten.[13] Das ebenfalls alte Weihnachtslied »Gelobet seist du Jesu Christ«, dem Luther weitere Strophen angefügt hat,[14] erklang ursprünglich in Verbindung mit der im Mittelalter sehr beliebten und auch noch in reformatorischen Liturgiebüchern sich findenden Weihnachts-Sequenz »Grates nunc omnes«, wo es vom Volk dreimal gesungen wurde.[15] In einem Nonnengebetbuch des 15. Jh. begegnet es uns außerdem als Gesang zur Elevation.[16]

Das alte Pfingstlied »Nun bitten wir den Heiligen Geist«, das bereits Berthold von Regensburg († 1272) in seinen Predigten erwähnt,[17] im Obsequiale von 1570 jedoch eigenartigerweise fehlt, ist aus der Sequenz »Veni sancte Spiritus« herausgewachsen, in die es als Gesang des Volkes eingefügt war. Später wurde daraus vor allem ein Lied zur Predigt.[18]

Für die Sequenz »Summi triumphum regis« von Christi Himmelfahrt diente als Einlage das „Christ ist erstanden« nachgebildete Lied »Christ fuhr gen Himmel«. Ebenso wurde die Fronleichnams-Sequenz »Lauda Sion salvatorem« mit einem deutschen Lied tropiert, nämlich »Gott sei gelobet und gebenedeiet«,[19] das vielerorts auch im Anschluß an den Empfang der hl. Kommunion erklang.

Zu erwähnen ist ferner eine Gruppe lateinischer und deutscher Weihnachtslieder mit dem Gesang »Quem pastores laudavere«, dem sogenannten »Quempas«,[20] an der Spitze, von denen das Wiegenlied »Joseph lieber Joseph mein« am ältesten sein dürfte.[21] Diese Gesänge sind u. a. in einer Handschrift des Stiftes Hohenfurth in Böhmen (Cod. cart. 28) aus dem 15. Jh. überliefert;[22] sie wurden bis in die Gegenwart auch in zahlreichen evangelischen Gemeinden, vor allem im ostelbischen Gebiet, weiter gesungen.[23]

Verschiedentlich hat man diese Weihnachtslieder am Fest der Geburt des Herrn zwischen die einzelnen Verse des »Gloria«, ferner zwischen die Strophen der Cantica des Stundengebets, nämlich des »Benedictus,[24] des »Magnificat«[25] und des »Nunc dimittis« beim Kindelwiegen eingefügt[26] (vgl. den Exkurs 1).

Ebenso wurden die marianischen Antiphonen mit deutschen Kirchenliedern tropiert, vor allem das »Regina caeli«, so in einem handschriftlichen Prozessionale des Wittenberger Franziskanerklosters aus dem 15. Jh., sowie das »Salve Regina«,[27] ferner einzelne Gesänge des Ordinarium (Kyriale), wie das Lied »Wir glauben all an einen Gott« in einer Handschrift aus dem Jahr 1417 in der Breslauer Bibliothek, das im Anschluß an das Choral-Credo vom Volk gesungen wurde.[28]

Das Spätmittelalter war schließlich auch die Zeit der Übersetzungen lateinischer Liturgiebücher bzw. Teile daraus in die Volkssprache. So erfuhren vor allem die Hymnen des Stundengebetes eine solche Übertragung. Dies stellt den Ausgangspunkt für die späteren, vom gregorianischen Choral gelösten

Kirchenlieder dar. Zu nennen sind besonders die Lieder des im 14. Jh. lebenden Johannes, genannt »der Mönch von Salzburg«.[29] Verschiedentlich wurden aber auch die Hymnen mit deutschen Gesängen interpoliert, so der Hymnus »Rex Christe factor omnium«, der zu den »Finstermetten« an den letzten drei Tagen der Karwoche gesungen und dem verschiedene Gesänge, so das deutsche Lied »O du armer Judas, was hast du getan«, eingefügt wurden.[30]

Im Spätmittelalter wurde auch begonnen, die Texte des Missale Romanum, vor allem die Lesungen daraus, ins Deutsche zu übertragen. Ein sehr frühes »Missale volgare« (Volksmeßbuch), wie es sich selbst nennt, stammt aus dem Thüringer Raum und wurde im Jahr 1404 vollendet (vgl. den Exkurs 2). Bei diesem handelt es sich noch nicht um eine vollständige Übersetzung ins Deutsche; eine solche liegt erst später in dem 1526 in München erschienenen »Missal oder Messpuech uber das gantz jar« und dann im bekannten Meßbuch Flurheyms von 1529 vor.[31]

Auch große Teile des Breviers wurden, wie entsprechende Handschriften zeigen, im 15. Jh. übersetzt,[32] in erster Linie zum Gebrauch der Ordensleute sowie vornehmer Gläubiger, die dem lateinischen Chorgebet beiwohnten. Ein früher Druck ist aus dem Jahr 1535 erhalten: »Brevier, Teutsch Römisch«.[33]

Diesen volksliturgischen Bestrebungen des ausgehenden Mittelalters wurde, wie gesagt, durch das Konzil von Trient ein Riegel vorgeschoben. »Eine vollständige Erstarrung der Liturgiefeier ist aber«, wie Ph. Harnoncourt schreibt,[34] »auch durch die tridentinische Reform nicht eingetreten. Im 17. und 18. Jahrhundert war es vor allem die Kirchenmusik, der es noch gelang, einer in Ritus und Texten uniformierten und unveränderlichen Liturgie im Vollzug doch ein zeitgenössiches und teilkirchliches und damit auch ein je aktuelles Gepräge zu geben.«[35]

Eine radikale Wende brachte die Aufklärung, nicht zuletzt auch, was die Verwendung von Kirchenliedern im katholischen Gottesdienst betrifft. Es bestand damals das Bestreben, die lateinische Sprache vollständig aus dem Gottesdienst zu verbannen und sie durch Gebete und Gesänge in der Volkssprache zu ersetzen. Aus diesem Grund sprossen allenthalben anstelle der Choral-Ordinarien neue Meßgesänge sowie freie Übertragungen von Hymnen und Psalmen sowie andere Lieder, meist minderer Qualität, wie die Pilze aus dem Boden, wodurch die offiziellen Choralgesänge mehr und mehr verdrängt wurden.[36]

Die Einführung all dieser Neuerungen im Gottesdienst geschah vielerorts, so in der Diözese Mainz, gegen den Willen der Gläubigen, die am althergebrachten Choralgesang und an den bisherigen Kirchenliedern hingen.[37] Es war vor allem die staatliche und kirchliche Obrigkeit, die aus dem Geist der Aufklärung heraus die Abschaffung des gregorianischen Chorals verlangte – so im Vorwort zum Gesangbuch St. Blasien 1773 und in den amtlichen Erlassen von Paderborn 1785 und Mainz 1788 –, und zugleich die Einführung der neuen Kirchenlieder befahl.[38] Dabei schreckte man auch vor Gewaltanwendung nicht zurück.

So sollte damals auch in Rüdesheim das einzuführende neue Gesangbuch den bis dahin üblichen gregorianischen Choral verdrängen. Als im Hochamt die Schulkinder auf das angestimmte Gloria ein deutsches Lied beginnen wollten, zischte jedoch das Volk und sang mit aller Kraft »Et in terra pax hominibus« weiter. Als die Unruhen unter der Bevölkerung sich nicht legten, sandte der Mainzer Erzbischof und Kurfürst zwei Kompanien Infanterie, Kanonen und zwei Züge Husaren nach Rüdesheim. Dreißig Rädelsführer wurden schließlich zu langen Zuchthausstrafen verurteilt.[39]

In der Diözese Regensburg scheint man diesbezüglich von Anfang an besonnener gewesen zu sein, wie aus einem Erlaß der bischöflichen Behörde vom 24. 11. 1734 hervorgeht:

»Nachdem wir mißbillig vernommen, daß unterschiedliche unanständige und abentheuerliche zum Lachen mehr denn zum Lob und der Ehre Gottes dienende Gesänge unter den Gottesdiensten, absonderlich bei den Rorate(-Ämtern), gesungen werden, so befehlen wir hiermit . . . solche wunderliche Gesänge gleich wegzunehmen und dieselben anher einzuschicken.«[40]

Dennoch eingeführte Lieder der Aufklärungszeit dürften im 19. Jh. hier rasch außer Übung gekommen sein, denn in einer Verfügung vom 15. 12. 1851 heißt es in Nr. 3: »Von jenen Pfarreien, in denen noch der Volksgesang beim Gottesdienst üblich ist, sollen sowohl die Texte als auch die Melodien eingesendet werden.«[41]

Beliebt war hingegen im bayerischen Raum die 1777 in Landshut erstmals gedruckte und von M. Haydn neu komponierte Singmesse »Hier liegt vor deiner Majestät« zusammen mit der etwas jüngeren Schubert-Messe.[42] Diese Singmessen wurden während der vom Priester still gelesenen Messe gesungen, im fränkischen Raum auch als »Deutsches Hochamt«.

Das Obsequiale Ratisponense und seine Sammlung deutscher Kirchenlieder

Der Erstdruck des »Obsequiale sive Benedictionale secundum consuetudinem ecclesie et dyocesis Ratisponensis«, eines Rituale für die Diözese Regensburg, stammt aus dem Jahr 1491 und wurde unter Bischof Heinrich IV von Absberg (1465–1492) von Georg Stöchs in Nürnberg hergestellt.[43]

Den 1. Teil des Liturgiebuches bilden die bei der Spendung der Sakramente verwendeten Formulare, einschließlich des Beerdigungsritus. Im 2. Teil folgen die Gebete und Gesänge zur Kerzenweihe und -Prozession an Mariä Lichtmeß, ferner zur Aschenweihe und -Auflegung am Aschermittwoch, zu den Riten der Karwoche und in der Osternacht, sowie einige weitere Formulare, so u. a. für die Fronleichnams-Prozession.

Das Regensburger Obsequiale wurde 1570 von Alexander Weißenhorn in Ingolstadt nachgedruckt. Die Neuauflage war am 12. 2. 1571 fertiggestellt. Sie enthält zu Beginn ein Vorwort des Bischofs David Kölderer von Burgstall (1567–1579) und unterscheidet sich inhaltlich fast nicht vom Erstdruck, abgesehen von einer Beigabe von 19 (nicht durchgezählten) Blättern am Schluß, die ein kleines Gesangbuch mit Noten von 15 meist deutschen Kirchenliedern darstellt und von denen im folgenden ausschließlich gehandelt wird.[44]

Vorausgeht ein Kapitel »De variis modis proponendi Verbum Dei populo pro Junioribus concinatoribus« (Von den verschiedenen Weisen das Wort Gottes dem Volk zu verkünden für jüngere Prediger) mit einem »Exordium in Vernacula lingua« (Vorspruch in der Volkssprache): »Der Allmächtig gütig barmhertzige Gott ...«, sowie einer »Communis exhortatio ad populum pro Statibus Christianis« (das übliche Mahnwort an das Volk bezüglich des christlichen Staates).

Die danach abgedruckte und von uns im folgenden vollständig in Facsimile wiedergegebene Kirchenliedsammlung trägt den Titel: »Cantiones germanicae quibus singulis suo tempore in Ecclesia Catholica Ratisponensi tuto uti possumus«, was zu übersetzen ist: »Deutsche Gesänge, die wir jeweils zu ihrer Zeit in der katholischen Kirche von Regensburg bedenkenlos (wörtlich: sicher, d. h. ohne Gefahr für den Glauben) verwenden können.« Hier ist eigens von der »ecclesia catholica« von Regensburg die Rede, im Gegensatz zu den neuen evangelischen Pfarreien der Stadt.

Im 17. Jh. erfolgten weitere Nachdrucke dieses Obsequiale und zwar 1624 in Ingolstadt durch Wilhelm Eder, dann ebenda 1626 und 1629 durch Gregor Hänlin, jetzt unter dem etwas längeren Titel: »Obsequiale, vel Liber Agendorum, circa Sacramenta, Benedictiones, et ceremonias, secundum antiquum usum et ritum Ecclesiae Ratisbonensis«.[45] Die Kirchenlieder stehen in den genannten 3 völlig übereinstimmenden Auflagen jeweils Seite 263–290.

Es handelt sich beim Obsequiale von 1570, wie oben schon andeutet, um die erste kirchenamtliche Ausgabe katholischer deutscher Kirchenlieder, die für die Verwendung im Gottesdienst bestimmt waren. Vorausgingen die privaten Liedsammlungen von Vehe (1537), Witzel (1550), Kethner (1555) und Leisentritt (1567).[46]

Unser Liturgiebuch ist übrigens im gleichen Jahr wie das Missale Romanum des Papstes Pius V, das dieser im Auftrag des Konzils von Trient redigiert hat, erschienen, ohne daß diese Neuauflage oder die späteren Nachdrucke die liturgischen Eigenbräuche der Diözese Regensburg, soweit sie im Widerspruch zum genannten Missale stehen, aufgegeben hätten.

Die Aufnahme von Kirchenliedern in das Rituale steht im Zusammenhang mit der nach Abschluß des Konzils von Trient (1563) erfolgten katholischen Restauration, näherhin mit der Salzburger Provinzial-Synode von 1569, auf der fast alle Suffraganbistümer durch ihre Ordinarien vertreten waren. Man hatte damals ausführlich über die Zulassung deutscher Kirchenlieder im Gottesdienst beraten, nachdem das Konzil in der

Sessio 22, Canon 9 die Meinung verworfen hat, »die Messe müsse nur in der Landessprache gefeiert werden«.

In der 54. Konstitution wurde in Salzburg folgender Beschluß verabschiedet:

»Damit die sehr alten und lobenswerten frommen Gewohnheiten unserer Kirchenprovinz fortdauern, billigen wir den alten Brauch, wonach in den Kirchen entsprechend der jeweiligen Zeit (im Kirchenjahr) Gesänge (cantilenae) vor oder nach der Predigt vom frommen Volk gesungen werden, wobei der Prediger den Gesang anstimmen soll. Wir verlangen jedoch, daß keine (sonstigen) Lieder verwendet werden, die nicht in der Agende der jeweiligen Diözese stehen oder vom Ordinarius (eigens) approbiert sind ...«[47]

Bezüglich des Gesangs von Kirchenliedern im katholischen Gottesdienst hatte im gleichen Jahr 1569 das bayerische Schulgesetz angeordnet:

»... und was hie oben von lateinischen Kirchengesangen und Gebeten gemelt worden ist, das sollen die Teutschen Schulhalter mit guten alten katholischen Gesang und Rueffen in teutscher sprach verrichten als da sind: Kom heiliger Geist etc. Mitten wir im Leben seind etc. Jesus ist ein Suesser Nam etc. ... Und nachdem vor alter in der katholischen kirchen Herkomen, das den Laien gestatt und zugelassen worden ihre Andacht mit Teutschem Gesang auch zu erzaigen, soll man das mitnichten abgehen lassen.«[48]

In den Erlassen der Augsburger Diözesan-Synode von 1567 heißt es im Abschnitt »De cultu divino« hinsichtlich der Verwendung deutscher Kirchenlieder im Gottesdienst:

»Von unseren Kirchen wollen wir auf alle Fälle die Lieder der Häretiker fernhalten, wenn sie auch durch ihre Melodien und ihre scheinbare Frömmigkeit blenden. Dagegen erlauben wir die alten und katholischen Gesänge, besonders diejenigen, die unsere frommen deutschen Vorfahren an den Hochfesten der Kirche gebraucht haben, sowohl innerhalb der Kirche als auch bei Prozessionen.«[49]

Die Redaktion des Regensburger Obsequiale von 1570 erfolgte, wie gesagt, unter Bischof David, der nach Bauerreiß »ein reformbereiter, wenn auch stark gehemmter« Oberhirte war.[50] Bereits unmittelbar nach seiner Ernennung berief er 1567 eine Diözesan-Synode ein, deren Ziel die Verwirklichung der Beschlüsse des Konzils von Trient und die Neuauflage des Rituale war.[51]

Die Zustände in seiner Diözese waren, wenn man dem Bericht des päpstlichen Legaten Ninguarda von 1574 voll Glauben schenken darf, damals alles andere als erfreulich. Bauerreiß schreibt: »Dem Klerus von Regensburg sagte man nach, er sei der zügelloseste von allen gewesen und Benefiziaten hätten sich im Chor nur noch zum Empfang der Präsenzgelder eingefunden . . . Von einer Gottesdienstordnung konnte kaum noch gesprochen werden . . . Der Bischof selbst litt schwer unter den Zuständen in seinem Domkapitel, bei dem Pfründehäuferei, Simonie und gegenseitige Feindschaft an der Tagesordnung waren. Und niemand wagte, auch der Bischof nicht, an den bestehenden Mißständen etwas zu ändern.«[52]

Kein Wunder, daß damals die Reformation in der Stadt Regensburg und darüber hinaus in der Oberpfalz so rasche Erfolge erringen konnte! Die im Obsequiale zusammengestellte Sammlung von Kirchenliedern stellt ein erfreuliches Zeichen der inneren Erneuerung der Diözese dar; sie sollte sicher zugleich ein Gegengewicht zu den protestantischen Kirchenliedern bilden, wie sie allenthalben in den evangelischen Gottesdiensten gesungen wurden.

Von den damals in Regensburg verwendeten protestantischen Gesangbüchern kann eine nach 1540 zu Magdeburg gedruckte Sammlung von Liedern Martin Luthers[53] sowie das Straßburger Gesangbuch von 1572 (in Folio)[54] nachgewiesen werden, wie die erhaltenen Exemplare in der Staatlichen Bibliothek Regensburg zeigen.[55]

In diesem Zusammenhang ist auch die für den Gebrauch in den evangelischen Gemeinden bestimmte Kirchenordnung des

Pfalzgrafen Wolfgang von 1557 bzw. 1560 zu erwähnen.[56] In dieser finden wir, genauso wie im Obsequiale, als Schlußteil eine (umfangreiche) Sammlung von Kirchengesängen mit dem Titel: »Kirchengesanng Teutsch und Lateinisch«. Hier finden wir auch einige unserer Lieder wieder, ohne daß damit gesagt sein soll, daß dieses protestantische Liturgiebuch als Quelle für unsere Sammlung mit ihren ausschließlich vorreformatorischen Gesängen anzusehen ist.

Als nächste Diözese hat die Metropole Salzburg 1575 eine Neuauflage ihres Rituale vorgenommen und darin ebenfalls eine Reihe deutscher Kirchenlieder angefügt.[57] Das Liturgiebuch trägt den Titel »Libri Agendorum secundum antiquum usum Metropolitanae Salisburgensis Ecclesiae«; es ist in Dillingen bei Sebald Mayer gedruckt worden. Hier begegnen uns S. 529–552 folgende 14 Lieder (ohne Melodien):

»Der Tag der ist so freudenreich«
»Ein Kind geborn zu Bethlehem«
»Resonet in laudibus«
»In dulci jubilo«
»Mitten unseres Lebens Zeit«
»Süßer Vater Herre Gott«
»Christ ist erstanden«
»Erstanden ist der heilig Christ«
»Christ fuhr mit Schallen«
»Komm Heiliger Geist Herre Gott«
»Der zart Fronleichnam der ist gut«
»Maria du bist Genaden voll«
»Jesus ist ein süßer Nam«
»Vater unser der du bist im Himmelreich«.

Es sind im wesentlichen die gleichen Gesänge wie im Regensburger Obsequiale, sodaß es es Anschein hat, daß sich die Ordinarien bei der genannten Synode hinsichtlich der Aufnahme bestimmter Lieder, die in den einzelnen Kirchen schon länger gesungen worden waren, abgesprochen haben.

Während die Diözese Freising erst 1611 deutsche Kirchenlieder in ihr »Pastorale ad usum Romanum accomodatum« aufnahm,[58] folgte Augsburg in ihrem »Ritus ecclesiastici Augustensis Episcopatus« im Jahr 1580 rasch nach.[59] Hier finden wir Seite 95–104 folgende 10 Gesänge mit Melodien:

»Der Tag der ist so freudenreich«
»Ein Kind geborn zu Bethlehem«
»Mitten unsers Lebens Zeit«
»Süßer Vater Herre Gott«
»Christ ist erstanden«
»Erstanden ist der heilig Christ«
»Christus fuhr mit Schallen«
»Komm Heiliger Geist Herre Gott«
»Der zart Fronleichnam der ist gut«
»Jesus ist ein süßer Nam«.

Die nämlichen Kirchenlieder treffen wir in einem eigenen Gesangsbüchlein wieder, das 1586 in Ingolstadt erschienen ist und das den Titel trägt: »Zwölff Geistliche Kirchengesang für die Christeliche Gemein«.[60] Hier sind zusätzlich noch folgende Lieder aufgenommen:

»Vater unser der du bist im Himmelreich«
»Gelobet seist du Herr Jesu Christ«
»Da Jesus an dem Kreuze stund«.

Dagegen fehlt das Lied »Ein Kind geborn zu Bethlehem«.

Zur gleichen Gattung gehört die Sammlung von 13 Kirchenliedern, die dem 1627 und 1629 ebenfalls in Ingolstadt gedruckten »Pastorale ad usum Romanum accomodatum ... aliaque Pastoralia officia in variis Dioecesibus Rite obeunda«,[61] also für keine bestimmte Diözese redigierten Rituale Seite 532–546 bzw. 525–539 beigefügt ist:

»Der Tag der ist so freundlich«
»Puer natus in Bethleem«
»In dulci jubilo«
»Süßer Vater Herre Gott«
»Mitten wir im Leben sein«
»Christ ist erstanden«
»Erstanden ist der heilig Christ«
»Christ fuhr mit Schallen«
»Komm heiliger Geist Herre Gott«
»Der zart Fronleichnam der ist gut«
»Nun merket auf ihr lieben Kind«
»Jesus ist ein süßer Nam«
»Vater unser der du bist im Himmelreich«.

Es besteht vollständige Übereinstimmung mit dem Lied-Appendix des Rituale von Osnabrück von 1629 und dem »Rituale Pragense ad usum Romanum accomodatum« von 1642.[62]

Die oben angeführten bayerischen Kirchenlied-Sammlungen, wie sie als Anhänge zu den jeweiligen Diözesan-Ritualien überliefert sind, stellen – das kann abschließend festgestellt werden – in der Hauptsache alte vorreformatorische Kirchenlieder dar, wie sie einst vom Volk an bestimmten Tagen zusätzlich zu den lateinischen Gesängen oder zwischen diese, später nur mehr vor und nach der Predigt sowie bei Prozessionen gesungen wurden.

Bei letzteren fanden vor allem die volkstümlichen und im bayerischen Raum sehr beliebten »Rufe« mit ihren zahlreichen Strophen Verwendung. Sie sind etwas jünger als die übrigen Kirchenlieder. Die einzelnen Strophen wurden von einem oder mehreren Vorsängern vorgesungen, die übrigen Teilnehmer antworteten mit einem gleichlautenden Refrain.

Einen anderen Weg um zu einem katholischen Gesangbuch zu kommen hat die damals noch nicht zu Bayern gehörende Diözese Bamberg beschritten. Hier stellte man 1575 ein eigenes Gesangbuch von 62 Liedtexten zusammen, die in der Hauptsache einen Auszug aus den Gesängen des nicht-offiziellen Leisentritt-Gesangbuchs von 1567 darstellen.[63] Im Jahr darauf mußte bereits eine zweite Auflage erscheinen. Würzburg folgte 1591 mit einem eigenen »Catholisch Gesangbüchlein«, das bis 1649 sechs Auflagen erlebt hat, nach.[64]

Cantiones Germanicae

Facsimile aus dem Regensburger Obsequiale von 1570

Sequuntur nunc aliquot Cantiones germanicæ, quibus singulis suo tempore in Ecclesia Catholica Ratispo. tutò vti possumus.

IN ADVENTU DOMINI, ET TEMPORE QUADRAGESIMÆ.

Decem præcepta.

O süsser Vatter Herre Got/verley das wir erken-

nen die Zehen Gebot/ das wir sie mit

worten vnd wercken allzeit laisten/ auß rechter lieb

auß gantzer begierd/so werden wir selig vnd reich.

Vor allen dingen hab Got lieb/ von gantzem deinem hertzen/ auß rechter begierd / dein Nechsten alß dich sebs/ das seind die aller maisten/ darauß die andern entsprungen seind/die Zehen Gebot all geleich.

O Mensch gelaub an ainen Gott/ nit eytel soltu jhn nennen/ als sey er dein spot / dein fasten vnnd dein feyern / halt gar ordenlichen / dein Vatter vnnd Mütter in ehren hab/ das bringt dir deins lebens vil.

Du solt niemandt tödten/vnd nicht stelen/mit dieberey nichts gewinnen/ oder mit geferdt / nit vnkeusch in der Ehe oder ledigkleiche/ kein falsche gezeügknuß red oder sag/dañ was allain die warheit sey.

Deins Nechsten Gemahel soltu nit begern/sein gůt laß dir nit lieben / sagt vns die lehr / darnach wir vnser leben richten/ halten wir die Zehen Gebott all geleich/so werden wir Selig vnd Reich.

Mitten wir im leben seind.

MItten wir im leben seind/ seind wir mit dē Tod vmbfan-
Wen sůchē wir der hülffe thůe: dadurch wir gnad erlan-

gen: Dañ dich Herr al lai ne/ der du vmb
gen.

vnser

vnser missethat/ gar offt gezürnet hast/ Heyli-
Heyli-
ger Herre Got/
ger starcker Got/
Heiliger barmhertziger Hayland/ du
ewi ger Got/ Laß vns nit versůchen des bittern Todtes not/ Laß vns dein huld erwerbē/ hilff vns auß
al ler noth.

NATALIS CHRISTI.

Resonet in laudibus.

REsonet in laudibus, cum iucundis plausibus

Sion cum fi de li bus, ap pa ru it quem genu it

MARIA. Sunt impleta quę prædixit Ga bri el, E-

ia, E ia, Virgo Deum ge nu it, quẽ di ui na uo-

lu it cle men ti a. Ho di e ap pa ruit, ap pa-

ruit:

ru it · in Is ra ël, quod annunci a tum est per Ga-

bri el. Sunt impleta. Vt supra.

Aliud Canticum.

Hic iacet in præsepio, ij. Qui regnat sine termino, ij.
Die leit es in dem Krippelein/ ij. Ohn end so ist die Herschafft sein/ ij.
Cognouit bos & asinus, ij. Quod puer erat Dominus, ij.
Das öchselein vnd das eselein/ ij Erkannten Gott den Herren sein/ ij.
Reges de Saba veniunt, ij. Aurum, Thus, Mirrham offerũt. ij.
Die Künig von Saba kamen dar/ ij. Gold/ Weyrach/ Mirrhen brachten sie dar/ ij.
In hoc natali gaudio, ij. Benedicamus Domino, ij.
Zů diser Weihenechtlichen zeit/ ij. Sey Got gelobt in ewigkeit/ ij.
Laudetur sancta Trinitas, ij. Deo dicamus gratias, ij.
Wir loben die heilig Dreyfaltigkeit/ ij. Der sey gedanckt in ewigkeit/ ij:

Dies est lætitiæ.
Teutsch.

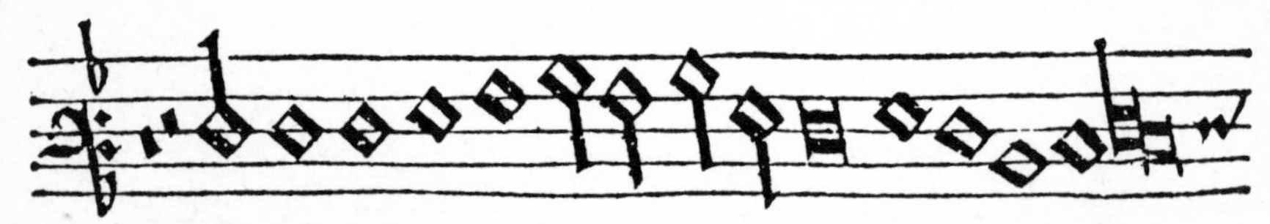

Der tag der ist so frewdenreich/ aller Creatu-
Dañ Gotes Sun von Himelreich/ ist vber die natu-

&c./: Vō einer Jūckfraw ist er geborn/ Maria du bist auß
re.
erkorn/

erkorn/das du Müter werdest/was geschach so wun-

derlich/Gottes Sun võ Him̃elreich/ d'ist mensch geborẽ.

Ein Kindelein so löbeleich / ist vns geboren heute :/: Von einer Junckfraw seuberlich/zů trost vns armen leuten. Wer
vns das Kindelein nit geborn/ so weren wir all zů mal ver-
lorn/das hayl ist vnser aller/ Ey du süsser Jesu Christ / das
du Mensch geboren bist/behůt vns vor der Helle.

Als die Soñ durch scheint das glas/mit jrem klaren scheine:/:
Vnd doch sie nit verschret das/so mercket all gemainę. Gleicher weiß geboren ward / von einer Junckfraw rain vnnd
zart / Gottes Sun der werde/ in ein kripp ward er gelegt/
grosse marter für vns leidt/ hie auff diser erden:

Die Hierten auff dem velde warn/erfüren newe märe :/: Von
den Engelischen scharn/ wie Christus geboren were. Ein
Künig vber alle Künig groß / Herodes die red gar sehr
verdroß/auß sandt er sein botẽ/ Ey wie gar ein falschẽ list/
erdacht er wider Jesum Christ/die Kindlein ließ er tödten.

In dulci iubilo.

In dulci iu bi lo, Nun singet vnd seyt fro/

vnsers

O IESV paruule, Nach dir iſt mir ſo weh/ trôſt mir mein gemûte/O puer optime, durch alle deine gûte/ O Princeps gloriæ, trahe me poſt te, trahe me poſt te.

Vbi ſunt gaudia, Ninderſt mehr dann da/ Da die Engel ſingen/ noua cantica, Vnd die ſchellen klingen/ in regis curia, Eya weren wir da/ Eya weren wir da.

TEMPORE PASCHALI.

Das Lobgeſang Chriſt iſt erſtanden.

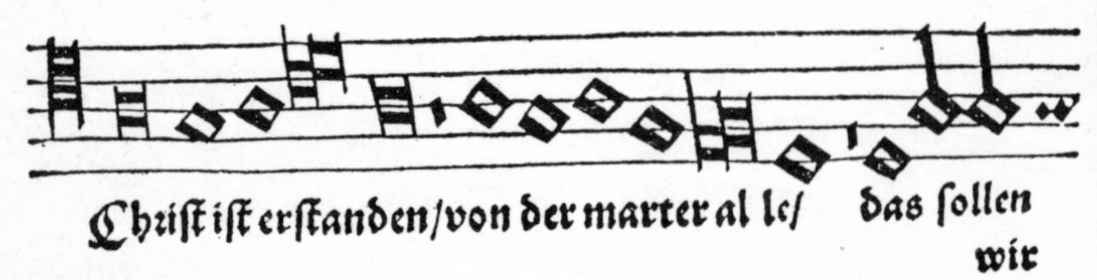

wir alle fro ſein/Chriſt ſoll vnſer troſt ſein/Kyrieleyſon.
Wer er nit erſtanden/ So wer die welt zergangẽ/ ſeyt
das er erſtanden iſt/ ſo loben wir den Herren Jeſu
Chriſt/Kyrieleyſon. Al le lu ia/ Al le lu ia/
Al le lu ia/ Des ſollen wir alle fro ſein/Chriſt ſoll
vnſer troſt ſein/ Kyrie ley ſon.

Es giengen auß drey Frawen/ sie wolten das Grab beschawē/ Sie süchten den Herren Jesum Christ/ der aller Welt ein tröster ist/ Kyrieleyson.

Maria die vil raine/ die thet gar hertzlich wainen/ vmb vnsern Herren Jhesum Christ/ der aller Welt ein helffer ist/ Kyrieleyson.

Maria die vil zarte/ die ist der Rosengarten/ den Gott selber gezieret hat/ mit seiner Göttlichen Mayestat/ Kyrieleyson.

O du heyligs Creutze/ nun hilff vns Christenleuten/ vnd den vnglaubigen hie auff Erdt/ So wirt der Christlich Glaub gemehrt/ Kyrieleyson.

Alleluia/ Alleluia/ Alleluia/ des solln wir alle fro sein/ Christ soll vnser trost sein/ Kyrieleyson.

Erstanden ist der heylig Christ.

Vnd

Vnd wer er nit erstanden/ Alleluia.
So wer die Welt zergangen. Alleluia.

Vnd seyt das er erstanden ist/ Alleluia.
Loben wir den Herren Jesum Christ. Alleluia.

Es giengen drey heylige Frawen/ Alleluia.
Des morgens frů im thawe. Alleluia.

Sie sůchten den Herren Jesum Christ/ Alleluia.
Der von dem todt erstanden ist. Alleluia.

Sie funden da zwen Engel schon/ Alleluia.
Die trösten die Frawen lobesan. Alleluia.

Erschröcket nit vnd seyt alle fro/ Alleluia.
Dann den jr sůcht der ist nit da. Alleluia.

Er ist erstanden auß dem Grab/ Alleluia.
Heut an dem heiligen Ostertag. Alleluia.

So tret herzů vnd secht die stat/ Alleluia.
Da man jhn hin geleget hat. Alleluia.

Secht an das thůch darinn er lag/ Alleluia.
Gewickelt biß an den dritten tag. Alleluia.

Nun geht ins Gallileisch Landt/ Alleluia.
Da findt jhr jhn sagt er zů handt. Alleluia.

Vnd saget das Petro an/ Alleluia.
Vnd seinen Jüngern lobesan. Alleluia.

Nun singet all zů diser frist/ Alleluia.
Erstanden ist der heilig Christ/ Alleluia.

Des sollen wir alle frölich sein/ Alleluia.
Vnd Christ soll vnser tröster sein. Alleluia.

Regina cœli, Teutsch.

Nota.

Nach der Himmelfart Christi/ biß auff Pfingsten/ mag man an statt (den du hast empfangen/ der ist vom Tod aufferstanden) singen (den du hast getragen/ der ist gen Himmel auffgefaren ꝛc.)

IN DIEBVS ROGATIONVM.

Die Zehen Gebott.

Nun mercket auff jr lieben kind/ Kyrieleyson/

Die Zehen Gebott die solt du lernen/ Kyrieleyson.
Wilt du frewd im Himmel mehren. Alleluia rc. vt suprà.

Die vns Got selbs gebotten hat/ Kyrieleyson.
Die solstu halten als geschriben stat. Alleluia.

Das Erst ist das höchst Gebot/ Kyrieleyson.
Du solt gelauben an einen Gott. Alleluia.
Der Himmel vnd Erdt erschaffen hat/ Kyrieleyson.
Den solstu anbetten frü vnd spat. Alleluia

Das Ander: gebott solst recht erkennen/ Kyrieleyson.
Solst Gott nit vnnütz vnd eyttel nennen/ Alleluia.
Wirstu Gott vnnütz vnd übel nennen. Kyrieleyson.
Er wirdt dir Seel vnd Leib verschwenden. Alleluia.

Das Dritt Gebott merck Herr vnd knecht/ Kyrieleyson.
Merck auff vnd halt den Feyrtag recht/ Alleluia.
Vnd nicht veracht der Glocken thon/ Kyrieleyson.
So wird dein arbait entspriessen schon. Alleluia.

Das Viert Gebott dein kinder lern/ Kyrieleyson.
Hab Vatter vnd Mütter in grossen ehrn. Alleluia.

Hast Vatter vnd Mütter nit in ehrn/ Kyrieleyson.
So wirdt sich all dein vnglück mehrn. Alleluia.

Das Fünfft Gebot du solt nit tödten/ Kyrieleyson.
Mit worten oder mit wercken nöten. Alleluia.

Das sechst Gebott das ist gar fein/ Kyrieleyson.
Du solt niemandt stelen das sein. Alleluia.
Stilst du aber eim andern das sein/ Kyrieleyson.
Das bringt deinem Leib vnd Seel groß pein. Alleluia.

Das Sibent/du solt nit vnkeüsch sein/ Kyrieleyson.
Mit gedancken worten vnd wercken dein. Alleluia.
Wirst du aber vnkeüscheit pflegen/ Kyrieleyson.
So wirdt dir Got sein gnad nit geben. Alleluia

Das Achte Gebot/merck gar eben/ Kyrieleyson.
Du solt kein falsche zeügknuß geben. Alleluia.
Weder vmb silber noch vmb gold/ Kyrieleyson.
O Mensch hab niemandt auff erd so hold. Alleluia.

Das Neunte Gebot/das halt mit züchten. Kyrieleyson.
Beger eins andern Gemahel nicht. Alleluia.
Wirst du eins andern Gemahel begern/ Kyrieleyson.
Thůt sich dein schand vnd laster mehren. Alleluia.

Das Zehent Gebot faß in deinen můt/ Kyrieleyson.
Du solt nit begern eins andern gůt. Alleluia.
Begerstu aber eines andern gůt/ Kyrteleyson.
Das bringt dich in der hellen glůt. Alleluia.

Also hastu die Zehen Gebot/ Kyrieleyson.
Die soltu halten ohn allen spot. Alleluia

Helst du sie nit recht vnd auch schon/ Kyrieleyson.
O wie wilt du vor Got bestan? Alleluia.

Vnd

Vnd vor dem hertten strengen Gericht/ Kyrieleyson.
Dem du dann magst entringen nicht. Alleluia.

Das dann wirdt an dem Jungsten tag/ Kyrieleyson.
Vor dem sich niemandt verbergen mag. Alleluia.

Hin geht die zeyt her kompt der Todt/ Kyrieleyson.
Tůh allzeit recht/das ist dir noht. Alleluia.

Dein leben vnd gůt alles zergath/ Kyrieleyson.
Vnd schleicht hin wie der Sonnen schat. Alleluia.

Was wirdt dir werden nun dauon/ Kyrieleyson.
Wann gar vergeth der Glocken thon. Alleluia.

Das bedenckt Frawen vnd auch Man/ Kyrieleyson.
Vnd last euchs allen zů hertzen gan. Alleluia.

Mariam Gots Műtter rűffen wir an/ Kyrieleyson.
Die helff vns in des Himmels thron. Alleluia.

Also hat diser rűff ein endt/ Kyrieleyson.
Got behűt vns vor dem gähen endt. Alleluia.

AMEN.

Ein ander Rűff/ Da Jesus zů Bethania was.

Jn

In Simeons hauß da fügt sich das/ Je sum

den sollen wir rüffen an.

Vnd das ein Fraw bracht offenbar/ Herr Jesu Christ.
Ein Püchsen mit edler salben dar. Jesum den sollē wir ꝛc.

Auff Jesus haupt sie die salben gaß/ Herr Jesu Christ.
Da er saß an dem tisch and aß. Jesum den sollen.

Vnd als das seine Jünger ersahen/ Herr Jesu Christ.
Gar zornigklichen sie da sprachen. Jesum den sollen.

Nun warumb soll dann diser verlust/ Herr Jesu Christ.
Die Salben ist vergossen vmb sunst. Jesum den sollen.

Dreyhundert pfenning wer sie wolfail/ Herr Jesu Christ.
Die het man vnder die armen getailt. Jesum den sollen.

Vnd do nun Jesus solchs erkandt/ Herr Jesu Christ.
Gar senfftigklich sprach er zů hand. Jesum den sollen.

Warumb seyt jr der Frawen gram/ Herr Jesu Christ.
Sie hat ein gůt werck an mir gethan. Jesum den sollen.

Die armen allzeit bey euch sindt/ Herr Jesu Christ.
Mich aber werdt jr bald haben nicht. Jesum den sollen.

Das mich gesalbt hat dises Weib/ Herr Jesu Christ.
Meins Leichnams gedechtnuß das bedeüt. Jesum den sollen.

Darumb

Darumb sag ich euch jetz für war/ Herr Jesu Christ.
Das es in aller Welte gar. Jesum den sollen.

Von diser Frawen wurd geredt/ Herr Jesu Christ.
Zů meiner gedechtnuß sie das thet. Jesum den sollen.

Von dem tische stůnd auff zů handt/ Herr Jesu Christ.
Ein Junger der was Judas genant. Jesum den sollen.

Der eylet hin zů der Juden schar/ Herr Jesu Christ.
Er sprach was wolt jr geben dar. Jesum den sollen.

Das ich euch in gefencknuß bring/ Herr Jesu Christ.
Sie verhiessen jm dreyßig pfenning. Jesum den sollen.

Darnach gedacht er alle stundt/ Herr Jesu Christ.
Wie er den Herrn verrathen kundt. Jesum den sollen.

Vnd an dem heiligen Antlaßtag/ Herr Jesu Christ.
Die Junger theten den Herren fragn. Jesum den sollen.

Nun sag vns Maister hie zů hand/ Herr Jesu Christ.
Wo sollen wir beraiten das Osterlamb. Jesum den sollen.

Jesus antwort den Jüngern drat/ Herr Jesu Christ.
Geht hin gen Jerusalem in die Stat. Jesum den sollen.

Da wirt euch ein Mensch begegnē mit fůg/ Herr Jesu Christ.
Der tregt in der hand ein wasserkrůg. Jesum den sollen.

Jn welches Hauß do er eingat/ Herr Jesu Christ.
Da sprecht zů dem Haußuatter drat. Jesum den sollen.

Der Maister spricht mein zeit ist hie/ Herr Jesu Christ.
Das Osterlamb zůessen mit dir. Jesum den sollen.

So zaigt er euch ein ort zů handt/ Herr Jesu Christ.
Daselbst berait vns das Osterlamb. Jesum den sollen.

Do es nun vmb die Vesper zeyt was/ Herr Jesu Christ.
Der Herr Jesus zů tische saß. Jesum den sollen.

Vnd sein zwölff Jünger bey jhm sassen. Herr Jesu Christ.
Das Osterlämblein sie mit jhm assen. Jesum den sollen.

Darnach stůnd Jesus auff zů hand/ Herr Jesu Christ.
Vnd leget von jhm sein gewandt. Jesum den sollen.

Ein leynen tůch gürt er vmb sein schoß/ Herr Jesu Christ.
Vnd in ein beck ein wasser goß. Jesum den sollen.

Sein Jüngern er jr füsse wůsch. Herr Jesu Christ.
Vnd trücknets mit eim leynen tůch. Jesum den sollen.

Vnd do er zů Sant Peter kam/ Herr Jesu Christ.
Ein grosses wunder jhn das nam. Jesum den sollen.

Er sprach wolstu waschen meine füß/ Herr Jesu Christ.
Jesus der antwort jhm vil süß. Jesum den sollen.

Du waist nit was ich jetzund beginn/ Herr Jesu Christ.
Du wirst sein aber fürbaß jnn. Jesum den sollen.

Sant Peter sprach gar offentleich/ Herr Jesu Christ.
Meine füß wäschstu mir nit ewigkleich. Jesum den sollen.

Jesus antwortet jhm zů hand/ Herr Jesu Christ.
O Petre ich thu dir das bekandt. Jesum den sollen.

So ich nit wasche die füsse dir/ Herr Jesu Christ.
Jm Himmel hastu kein thail mit mir. Jesum den sollen.

Sant Peter sprach Herr Maister rain/ Herr Jesu Christ.
So wasch mir nit die füß allain. Jesum den sollen.

Sonder das haupt vnd meine händ/ Herr Jesu Christ.
Das ich bleib bey dir biß ans endt. Jesum den sollen.

Do

Do Jesus seinen Jüngern gemain/ Herr Jesu Christ.
Ihre füß nun het gewaschen rain. Jesum den sollen.

Sein gewandt legt er nun wider an/ Herr Jesu Christ.
Vnd saß wider zů tisch hinan. Jesum den sollen.

Er sprach zů seinen Jüngern schon/ Herr Jesu Christ.
Wißt jhr was ich euch jetzt hab gethon. Jesum den sollen.

Jr haist mich Maister vnd auch Herr/ Herr Jesu Christ.
Vnd thůt auch recht/dann ich bin der. Jesum den sollen.

Ich bin ewer Herr vnd Maister zwar/ Herr Jesu Christ.
Hab euch die füß gewaschen gar. Jesum den sollen.

Darumb auch jr nun hinfürbaß/ Herr Jesu Christ.
Einer dem andern die füsse wasch. Jesum den sollen.

Die Lehr hab ich euch fürgebracht/ Herr Jesu Christ.
Das jr mir also volget nach. Jesum den sollen.

Nach dem alß der vil rain vnd süß/ Herr Jesu Christ.
Sein Jüngern het gewaschen die füß. Jesum den sollen.

Vnd do er etlich wort verbracht/ Herr Jesu Christ.
Zů seinen Jüngern er do sprach. Jesum den sollen.

Fürwar/fürwar sag ich euch schier/ Herr Jesu Christ.
Auß euch mich einer verrathen wirdt. Jesum den sollen.

Als bald sahe einer den andern an/ Herr Jesu Christ.
Sie gedachten wer wirdt das wol than. Jesum den sollen.

Sie wurden all betrůbt so sehr/ Herr Jesu Christ.
Ein jeder sprach bin ich nit der. Jesum den sollen.

Jesus der antwort jhn zu stund/ Herr Jesu Christ.
Wer mit mir in die schüssel eintunckt. Jesum den sollen.

Der wirdt mich doch verrathen zwar/ Herr Jesu Christ.
Vnd das sag ich jetzund für war, Jesum den sollen.

Des Menschen Kind nun sterben ist/ Herr Jesu Christ.
Als man von jhm geschriben lißt. Jesum den sollen.

Wehe dem Menschen dort vnd auch hie/ Herr Jesn Christ.
Durch den ich heut verrathen wird. Jesum den sollen.

Dem menschen gar vil besser wer/ Herr Jesu Christ.
Vnd das er nie geboren wer. Jesum den sollen.

Judas der sein verräther was/ Herr Jesu Christ.
Herr Maister (spach er) bin ich das. Jesum den sollen.

Jesus der antwort offenbar/ Herr Jesu Christ.
Das hastu selbst gesprochen zwar. Jesum den sollen.

Da Jesus bey sein Jüngern saß/ Herr Jesu Christ.
Er nam ein brot vnd gesegnet das. Jesum den sollen.

Er brachs vnd gabs den Jüngern sein/ Herr Jesu Christ.
Nemet hin das ist der Leichnam mein. Jesum den sollen.

Der für euch in den todt wirdt geben/ Herr Jesu Christ.
Darnach nam er den Kelch darneben. Jesum den sollen.

Er segnet jhnen auch do den wein/ Herr Jesu Christ.
Vnd gab denselben den Jüngern sein. Jesum den sollen.

Er sprach trincket all/das ist euch gůt/ Herr Jesu Christ.
Es ist mein rosenfarbes Blůt. Jesum den sollen.

Welches vmb ewret willen schier/ Herr Jesu Christ.
Gantz vnd gar vergossen wirdt. Jesum den sollen.

Vnd vmb vergebung ewrer sünd/ Herr Jesu Christ.
Vnd vtier die außerwölet seind. Jesum den sollen.

Darnach

Darnach bald hůb sich Judas auff/ Herr Jesu Christ.
Vnd wolt vollenden seinen kauff. Jesum den sollen.

Alßbald er nun Gottes Leichnam aß/ Herr Jesu Christ.
Der Teüfel jhn gar bald besaß. Jesum den sollen.

Der Herr Jesus zů Judas sprach/ Herr Jesu Christ.
Thů bald was du dir hast gedacht. Jesum den sollen.

Judas bald von dem Herren gieng/ Herr Jesu Christ.
Dann die nacht was nahet hie. Jesum den sollen.

Da saget jhnen Jesus besunder/ Herr Jesu Christ.
Den andern Antlaß seinen Jüngern. Jesum den sollen.

Ehe das die nacht hat heut ein end/ Herr Jesu Christ.
So werdt jr all an mir geschendt. Jesum den sollen.

Da sprach Petrus gar offentlich/ Herr Jesu Christ.
Herr Maister wil das sicherlich. Jesum den sollen.

Vnd werden sie all geschendt an dir/ Herr Jesu Christ.
Das soll doch nit geschehen von mir. Jesum den sollen.

Der Herr Jesus sprach offenbar/ Herr Jesu Christ.
O Petre ich sag dir für war: Jesum den sollen.

Ehe der Han gibt die stimme sein/ Herr Jesu Christ.
So hastu drey mal verlaugnet mein. Jesum den sollen.

Sant Peter jhm antwort also schier/ Herr Jesu Christ.
Herr Maister vnd soll ich sterben mit dir. Jesum den sollen.

So will ich nit verlaugnen dein/ Herr Jesu Christ.
Dieweil ich hab das leben mein. Jesum den sollen.

Das sprachen auch gemaingleich/ Herr Jesu Christ.
Die Jünger Christi all geleich. Jesum den sollen.

Da sprach Herr Jesus lobesan/ Herr Jesu Christ.
Steht auff vnd geht mit mir von dann. Jesum den sollen.

Vnd do er an den Oelberg gieng/ Herr Jesu Christ.
Da fiel er nider auff seine knie. Jesum den sollen.

Er bettet seinen Vatter an/ Herr Jesu Christ.
Ob er der marter möcht sein ab. Jesum den sollen.

Gott Vatter gab jhm sein segen/ Herr Jesu Christ.
Mein Sun ich will deins ende pflegen. Jesum den sollen.

Er schwitzet wasser vnd blůt so rot/ Herr Jesu Christ.
Er wußt vor jhm den bittern todt. Jesum den sollen.

Da gieng er zů den drey Jüngern rain/ Herr Jesu Christ.
Sie waren entschlaffen all gemain. Jesum den sollen.

Nun wacht jr Jünger ein klaine stundt Herr Jesu Christ.
Gefangen wirdt des Menschen kindt. Jesum den sollen.

Die Juden giengen nach jm auß/ Herr Jesu Christ.
Mit schwertern vnd mit spiessen groß. Jesum den sollen.

Judas sprach er ist ein listig man/ Herr Jesu Christ.
Wen ich kuß den greiffet an. Jesum den sollen.

Er kusset Jesum an seinen mundt/ Herr Jesu Christ.
Darmit verrieth er des Menschen kindt. Jesum den sollen.

Sie schlůgen vnd stachen all auff jhn. Herr Jesu Christ.
Vnd fůrten jhn gefangen hin. Jesum den sollen.

Gehn Hierusalem in die Stat/ Herr Jesu Christ.
Da er für vns gelitten hat/ Jesum den sollen.

Sie bunden jhm zů die augen sein Herr Jesu Christ.
Sie spürtzten jhm in den munde sein. Jesum den sollen.

Sie

Sie raufften jhm auß ſein heiligen Bart / Herr Jeſu Chriſt.
Verſprützt ward jm ſein antlitz zart. Jeſum den ſollen.

Sie ſchlůgen jn auch auff ſeinen halß / Herr Jeſu Chriſt.
Sie ſprachen all ſein lehr wer falſch. Jeſum den ſollen.

Man bandt jhn an ein ſaul gar groß / Herr Jeſu Chriſt.
Sie ſchlůgen jhm ſeinen Leichnam bloß. Jeſum den ſollen.

Mit beſen / mit gaiſeln / überal / Herr Jeſu Chriſt.
Da gewann er tieffe wunden ohn zal. Jeſum den ſollen.

Die Juden theten jhn ſo hart ſchlagen / Herr Jeſu Chriſt.
Das ſolln wir alle Chriſten klagen. Jeſum den ſollen.

Man legt jhm an ein weiſſen rock / Herr Jeſu Chriſt.
Darinn thet ſein Herodes ſpotten. Jeſum den ſollen.

Man truckt jhm in das haupte ſein / Herr Jeſu Chriſt.
Ein Kron von ſcharffen dörnern Jeſum den ſollen.

Sein blůt jhm über die augen abrann / Herr Jeſu Chriſt.
Das lidt er durch Frawen vnd Mann. Jeſum den ſollen.

Man gab jm ein zepter in ſein handt / Herr Jeſu Chriſt.
Der Juden Künig ward er genandt. Jeſum den ſollen.

Man legt jm auff den rucken ſein / Herr Jeſu Chriſt.
Ein groſſes Creütz was Cypreſſen. Jeſum den ſollen.

Das můßt er tragen auff ein Berg / Herr Jeſu Chriſt.
Do er die marter für vns leydt. Jeſum den ſollen.

Vnd trůge es biß an die ſtatt / Herr Jeſu Chriſt.
Da er vns all erledigt hat. Jeſum den ſollen.

Es wurden drey Engel her geſandt / Herr Jeſu Chriſt.
Zů Jeſu Chriſt alſo genandt. Jeſum den ſollen.

Man ſchlůg im durch die hende ſein/ Herr Jeſu Chriſt.
Zwen negel die waren Stählein. Jeſum den ſollen.

Die nägel wurden von blůt ſo roth/ Herr Jeſu Chriſt.
Herr Jeſu hilff vns auß aller noth. Jeſum den ſollen.

Man ſtach jhn in die ſeyten ſein/ Herr Jeſu Chriſt.
Ein Sper/ nach der tieff hinein. Jeſum den ſollen.

Man machet jhm ein wunden groß/ Herr Jeſu Chriſt.
Darauß dann Waſſer vnd Blůte floß. Jeſum den ſollen.

Den ſtich den thet ein blinder Man/ Herr Jeſu Chriſt.
Das blůt jhm vber das Sper abran/ Jeſum den ſollen.

Das ſtrich er ſeinen augen an/ Herr Jeſu Chriſt.
Da geſach er als ein ander Man. Jeſum den ſollen.

Er ſprach bald/ ey was hab ich gethan/ Herr Jeſu Chriſt.
Das ich dich Herr geſtochen han. Jeſum den ſollen.

Longinus kniet nider auff ſeine knie/ Herr Jeſu Chriſt.
O Jeſu Chriſt ich danck dir hie. Jeſum den ſollen.

Wie groſſes wunder do geſchach/ Herr Jeſu Chriſt.
Do Jeſus Chriſt gemartert ward. Jeſum den ſollen.

Die Sonn verlor der ſchein ſo gar/ Herr Jeſu Chriſt.
In aller Welt ein Finſternuß war. Jeſum den ſollen.

Himmel vnd Erd erbidmet ſich/ Herr Jeſn Chriſt.
Die härten ſtain erkloben ſich. Jeſum den ſollen.

Alle Creaturen litten groß pein/ Herr Jeſu Chriſt.
Vnd klagten Gott deu Schöpffer ſein. Jeſum deu ſollen.

Vnd da Jeſus am Creütze hieng/ Herr Jeſu Chriſt.
Sein liebe Můtter zů jm gieng. Jeſum den ſollen.

Sie

Sie het von hertzen ein grosses laid/ Herr Jesu Christ.
Das jr ein Schwert jr hertz durch schnit. Jesum den sollen.

Vmb jres liebes Kindes todt/ Herr Jesu Christ.
Do sie ansahe sein Blůt so rot. Jesum den sollen.

Jr händ sie vber das haupt auffwand/ Herr Jesu Christ.
Do sie jr Kind in nöthen fand. Jesum den sollen.

O allerliebster Sune mein/ Herr Jesu Christ.
Wie groß ist es die Marter dein. Jesum den sollen.

Nimb war allerliebste Můtter mein/ Herr Jesu Christ.
Nun mag es ye nit anderst gesein. Jesum den sollen.

Jch leyd hie vmb des sünders not/ Herr Jesu Christ.
Das er nit leyd den ewigen todt. Jesum den sollen.

So sag mir lieber Sune mein/ Herr Jesu Christ.
Wo soll nun hie mein hoffnung sein. Jesum den sollen.

So nimb allerliebste Můtter war/ Herr Jesu Christ.
Johannes ist dein Sun fürwar. Jesum den sollen.

Johannes lieber frende mein/ Herr Jesu Christ.
Nimb hin das soll dein Můtter sein. Jesum den sollen.

Nimbs bey der hand/vnd fůhrs hindan/ Herr Jesu Christ.
Das sie nit sehe mein Marter an. Jesum den sollen.

Do sie stůnd vnder dem Creütze gůt/ Herr Jesu Christ.
Auff sie von jhres Kindes blůt. Jesum den sollen.

Vor layd fiel sie nider auff die Erd/ Herr Jesu Christ.
Sie klagt jhr Kind von hertzen sehr. Jesum den sollen.

Jesus Christ der sprach mich dürst/ Herr Jesu Christ.
Vnd das erhört der Juden Fürst. Jesum den sollen.

Er bot jm essig vnd auch galln/ Herr Jesu Christ.
Das ließ jhm Jesus wol gefalln. Jesum den sollen.

Jhesus rüfft gar trawrigkleich/ Herr Jesu Christ.
Zů seinem Vatter von Himmelreich. Jesum den sollen.

Mein Got wie hast du mich verlan/ Herr Jesu Christ.
Vnd läßt mich hie in nöthen stan. Jesum den sollen.

Jesus sprach es ist alles verbracht/ Herr Jesu Christ.
Was jhm mein Vatter hat gedacht. Jesum den sollen.

Vatter das ist mein letztes endt/ Herr Jesu Christ.
Nimb hin mein geist wol in dein hendt. Jesum den sollen.

Da naiget er das haupte sein/ Herr Jesu Christ.
Vnd gab do auff den geiste sein. Jesum den sollen.

Man nam jhn von dem Creütze herab/ Herr Jesu Christ.
Mit einer grossen jämerlichen klag. Jesum den sollen.

Maria legt jhn auff jr schoß/ Herr Jesu Christ.
Sein heiligs blůt wol von jhm floß. Jesum den sollen.

O Sun wie bistu so gar er sigen/ Herr Jesu Christ.
Vnd dein Mund so gar erblichen. Jesum den sollen.

Man legt jhn in ein grab allain/ Herr Jesu Christ.
Sein leib was hailig vnd auch rain. Jesum den sollen.

Er lag biß an den dritten tag/ Herr Jesu Christ.
Da erstůndt Jesus von dem grab. Jesum den sollen.

Do giengen die heiligen drey Frawen/ Herr Jesu Christ.
Sie wolten das Grab beschawen. Jesum den sollen.

Den rüfft ein Engelischer Man/ Herr Jesu Christ
Wen sůcht jr Frawen hie so schon. Jesum den sollen

Wir

Wir süchen hie den gecreützigten Gott/ Herr Jesu Christ.
Der für vns hat gelitten den todt. Jesum den sollen.

Der Herr ist jetzundt schon erstanden/ Herr Jesu Christ.
Jesus wol von des todtes banden. Jesum den sollen.

Geht hin sagt es den Jüngern gleich/ Herr Jesu Christ.
Vnd Sant Peter besonderleich. Jesum den sollen.

In Gallilea zü diser frist/ Herr Jesu Christ.
Da findt jhr jhn wie geschriben ist. Jesum den sollen.

Wol an dem heiligen Ostertag/ Herr Jesu Christ.
Erstünd Jesus wol von dem Grab. Jesum den sollen.

Des sollen wir alle frölich sein/ Herr Jesu Christ.
Jesus wöll vnser tröster sein/ Jesum den sollen.

Vnd wann Jesus nit wer erstanden/ Herr Jesu Christ.
So wer die Welt zergangen. Jesum den sollen.

Seyt das er erstanden ist/ Herr Jesu Christ.
So loben wir den Herren Jesum Christ. Jesum den sollen.

O Jesu in dem höchsten Tron/ Herr Jesu Christ.
Gib vns die ewig frewd zü lohn. Jesum den sollen.

Vnd hilff vns in das Himmelreich/ Herr Jesu Christ.
Das wir dich loben ewigkleich. Jesum den sollen.

Durch deinen heiligen Göttlichen Namen/ Herr Jesu Christ.
So singen wir alle mit frewden Amen. Jesum den sollen
wir rüffen an.

Ein ander Růff.

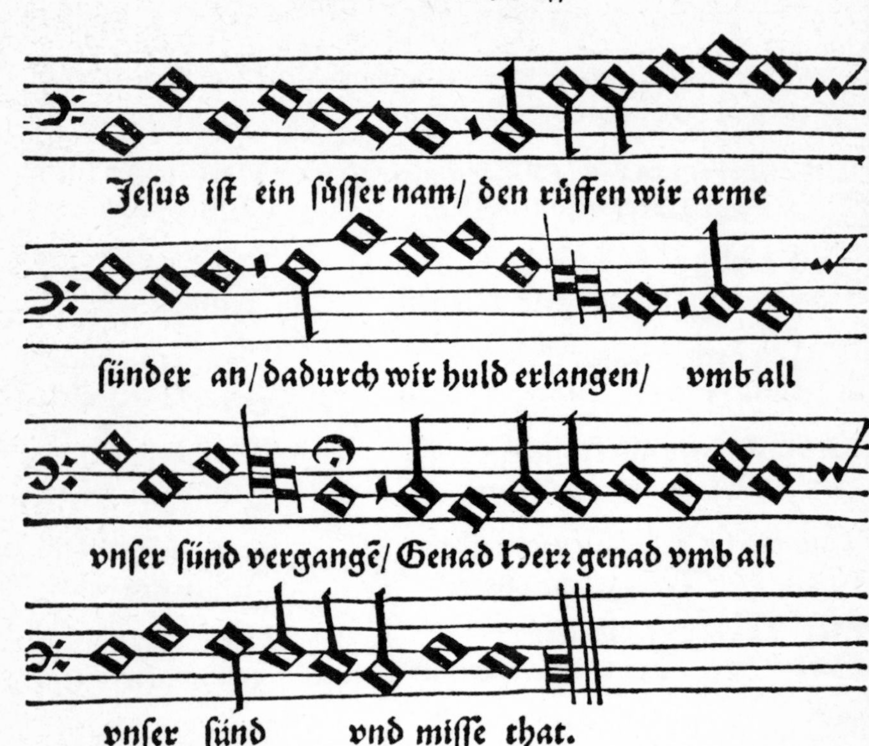

Jesus wer dich sůchen will / der findt bey dir genaden vil / O heilig selig ist der Mensch / der Jesum tag vnnd nacht bedenckt/der wirdt getrőßt/ von allen seinen sünden erlößt.

Jesus wir fallen dir zů fůssen/ wir wöllē dich so lang anrůffen mit klagen vnd mit wainen / mit Maria Magdalena / biß das wir finden/vergebung vnser sünden.

Jesus du bist mein höchster trost / den ich mir selbst hab außerlößt / auß rechter lieb vnnd gantzer begird/ hoff ich Herr deiner gnaden schier / Hilff Herr mir / das ich nimer schaid von dir.

Jesus

Jeſus mit deinem roſenfarben Blůt/ haſt vns erworben das ewig gůt/ das du vom Himmel herab kommen biſt/ haſt vns erlößt von des Teüffels liſt/ lob vnd ehr/ ſey dir Herr Im Himmel vnd auff Erdt.

Jeſus lieber Herre/ vmb deiner Marter ehre/ verleyh vns hie ein ſeligs endt/ vnd dort ein ewige Aufferſtendt/ das iſt die frewd/ die vns Gott von himmel geit.

Lob vnd ehr in der ewigkeit/ ſey dir du heilige Dreyfaltigkeit Gott Vatter/ Sun/ vnnd heiliger Geiſt/ das Sacrament ſey hoch gepreyſt/ wer das nimbt der hat das ewig liecht.

Alleluia ſingen wir/ Jeſum Chriſtum loben wir/ in diſer gnadenreichen zeit/ die vns Gott der Herr von Himmel geyt. Alleluia/ Gelobet ſey Gott vnd Maria.

Das Vatter vnſer.

Vatter vnſer der du biſt im Himelreich/ hoch über
Dein heiliger nam werd außgebrait gewaltigklich/ geehrt in

vns/ darumb im Gaiſt/ wilt angebettet werden/
vns vnd überal/ im Himmel vnd auff Erden. Das

Reich der gnadē kom̄ vns zů/ vn̄ thů in vns bleibē/ vnd

auff das wir mögen ewigklich/ in deinem Reich beleiben.

Auch billich Herr so bitten wir / dein will geschehe auff Erden hie/ in aller maß/ wie in dem Himmelreiche:/: Dahin da niemandt kommen kan/ noch mag bestan. Dann der allain den willen sein / mit deinem thůt vergleichen / vnd gib vns vnser täglich brot / der seelen jhre speise/ Jch main dein heiligs Göttlichs wort/ das wir das hören mit fleise/ vnnd das vns zů der seligkeit/ den rechten weg thůe weisen.

Vnser schuldt vnnd missethat / Herr vns nach laß/ damit wir dich erzürnet hand / das wöllest vns nit zůmessen :/: Dann wir auch vnsern schuldigern / in solcher maß / warmit sie vns erzürnet haben / das wöllen wir jn vergessen. Jn kein versůchung vnns einfůr / darinn wir möchten verderben/ vor solchem übel vns bewar / dauon die seel möcht sterben/ vnd mach vns alle sampt geleich/ in deinem Reich zů erben.

PENTE-

PENTECOSTES, ET CÆTE ris Dominicis diebus, vsq; ad primam Dominicam Aduentus.

Kom̃ heiliger Gaist.

CORPORIS CHRISTI.

Der wahre Fronleichnam ꝛc. In der Melodey Aue viuens hostia zůsingen.

Der zart Fronleichnam der ist gůt/ bringt vns ein freys
Er macht vns aller gnaden vol/ wol durch sein wer-

ge-

ge mů te:/:
de gů te. Der heilig Gaiſt wird vns ge-

ſandt/ ſo hat vnſer trawren ein ende/ alſo ſoll ſich

das hertze mein/ von Gott meim Herrn nit wenden.

O du barmhertzi ger Got/ erbarm dich über
Vnd über al le glaubi ge ſeeln/ vnd ringer jn Herr

die Chriſtenheit:
jhr ſchwere pein/ Das bitten wir dich gar innigklich &c.

Repete vt ſuprà. Der heilig Geiſt &c.

O du barmhertziger Gott / erbarme dich über die Christenheit / vnd über alle glaubige Seelen / Vnd ringer jhn Herr jhr schwere pein / des bitten wir dich gar innigklich / von grund auß vnserm hertzen / verleyhe vns Herr dein Himmelreich / an vnserm letzten ende.

Maria Gottes Mütter raine Mayd / du himmelische Fraw / nun hilff vns zů dir in dein Reich / das wir dich selber anschawen / dich vnnd deinen allerliebsten Sun / so hat vnser trawren ein ende / also soll sich das hertze mein / von Gott meinem Herren nit wenden.

Wir grüssen dich du lebendige Hostia / die warheit vnnd das leben / durch dich seind alle Opffer verbracht / hast vns die sünd zuuergeben / Wann deinem Vatter wirdt grosse ehr / hie auff erdt gegeben / vnd die heylig Christenheit ist sicher des ewigen lebens.

Wir bitten dich Vatter gar innigklich / das wir dich selber anschawen / dann du bist aller nutzbarkeit vol / der Himmelischen frewden / wir loben dein werde Menscheit groß / hie mit vnserm singen / ein Sacrament der barmhertzigkeit / ein speyß zů dem ewigen leben.

Gesegne vns heüt sein Fronleichnam zart / sein rosenfarbes blůte / wann vnser Seel soll an die fart / schick vns dein werde Mütter / als du selber gesprochen hast / wir haben gnad gefunden / nun hilff vns auß dem Jammerthal / O Herr durch dein heilig fünff wunden.

Wir schreien zů dir mit reichem geschall / hilff Maria du werde Mütter / behůt vns vor der Teüflischen schar / vnnd vor der Hellischen glůte / wir vertrawen dir wol / du verlest vns nit / behůt vns vor den Teüflischen hunden / sey vnsers hertzen ein zůuersicht / So die Seel geht auß vnserm munde.

Plebanis

Plebanis Ecclesiarum parochialium in virtute sanctę obedientię districtè pręcipiẽdo mandamus, vt singulis diebus Dominicis, finita cõcione, Orationem Dominicam, Angelicam salutationem, Symbolum Apostolorum, & Decalogi præcepta, sicut ea omnia vernaculo sermone subscripsimus, distinctè, ac tractim ita prælegant, vt populus legentem repetitione subsequi, ea discere, & memoriter mandare posit.

Das Vatter vnser/ Matthei VI.

VAtter vnser der du bist in den Himmeln/ Geheiliget werde dein Nam/ Zůkomme vns dein Reich/ Dein will geschehe/ wie im Hiñel also auch auff Erden/ Vnser täglich Brot gib vns heut/ Vnd vergib vns vnser schulden/ als auch wir vergeben vnsern schuldigern/ Vnd füre vns nit in versůchung/ Sonder erlöse vns vom vbel/ AMEN.

Das Aue Maria, oder
Englische Grüß/
Luce j.

BEgrüsset seyst du MARIA/ vol genaden/ der HERR ist mit dir/ du bist gebenedeyet vnder den Weybern/ vnnd gebenedeyet ist die frucht deines leibs/ Jesus Christus/ Hayligе Mütter Gottes bit Gott für vns/ AMEN.

Symbolum Apostolorum,
Der Christlich Glaub.

ICH glaub in Gott Vatter Allmächtigen/ Schöpffer Himmels vnd der Erden. Vnd in Jesum Christum seinen aingebornen Sun vnsern Herrn/ der empfangen ist von dem heyligen Geist/ geborn auß Maria der Junckfrawen/ Gelitten vnder Pontio Pilato/ gecreützigt/ gestorben vnd begraben/ Abgestigen zů der Hölle/ am dritten tag wider aufferstanden/ von den todten/ auffgestigen gen Himmel/ sitzet zů der gerechten Gottes des Allmechtigen Vatters/ von dannen er zůkünfftig ist zůrichten die lebendigen vñ die todten. Jch glaub in den heiligen Geist/ ein

ein heylige allgemaine Christliche Kirchen/Gemainschafft der Heyligen/Vergebung der sünden/ Aufferstehung des fleischs/ Und ein ewigs leben/ Amen.

Die Zehen Gebott Gottes/ Exod. xx. Deutro. v.

I.

Du solt glauben an einen Gott.

II.

Du solt nit vnnutzlich schweren bey seinem heyligen Namen.

III.

Du solt die Feyrtäg heyligen.

IIII.

Du solt Vatter vnd Müter ehren.

V.

Du solt nit tödten.

VI.

Du solt nit Ehebrechen.

VII.

Du solt nit stelen.

VIII.

Du solt kein falsche zeügknuß geben.

IX.

Du solt keins andern Eheweib begern.

X.

Du solt kein frembd gůt begeren.

Liber Obsequiorum, Benedictionum & Cantionum, secundum ordinem & ritum almæ Ecclesiæ Ratisponen. Ingolstadij impressus, finit fœliciter, Anno Domini Millesimo Quingentesimo Septuagesimo primo, Mense Februarij, Die duodecimo. LAVS DEO.

Bemerkungen zu den einzelnen Liedern

1. »In Adventu Domini et tempore Quadragesimae (im Advent und in der Fastenzeit): O süsser Vatter Herre Gott« (Bäumker I Nr. 176, S. 420; Wackernagel II Nr. 1009, S. 757).

Dieser nach Wackernagel aus dem 15. Jh. stammende Gesang findet sich im 16. Jh. nur in bayrischen Quellen, so im Dillinger und Münchner Gesangbuch von 1586 und in den »Ritus ecclesiastici« Dillingen 1580.

2. »Mitten wir im leben seind« (Bäumker Nr. 300 a, S. 588; Wackernagel II Nr. 995, S. 751).

Übersetzung der lateinischen Antiphon »Media vita in morte sumus«, die angeblich von Notker Balbulus, vermutlich jedoch noch aus der altgallikanischen Liturgie stammt; vgl. P. Wagner, Das Media vita, in: Schweizer Jahrbuch für Musikwissenschaft 1 (1924) 18; umfassende Studie von W. Lipphardt, in: Jahrbuch für Liturgik und Hymnologie 8 (1963) 100–118. Die deutsche Übersetzung stammt aus der 2. Hälfte des 15. Jh.; vgl. a. a. O. 106; ebd. 11 (1966) 161 f. Das Lied wurde von Martin Luther umgedichtet und um 2 Strophen vermehrt.

3. »Natalis Christi (Christi Geburt): Resonet in laudibus« (Bäumker Nr. 48, S. 301; Wackernagel I Nr. 349/350, S. 211 f.).

Dieses vielleicht noch aus dem 13. Jh. stammende Weihnachtslied findet sich meist mit anderen, ebenfalls im Dreiertakt abgefaßten »Jubelgesängen der heiligen Weihnachten« (Witzel), so dem »Magnum nomen domini« (Wackernagel I Nr. 348, S. 21 ii), dem »Joseph, lieber Joseph mein« (Bäumker I Nr. 48 III) und dem »Quem pastores laudavere« (Wackernagel Nr. 357, S. 215), zum »Quempas«-Gesang verbunden; vgl. W. Thomas, Der Quempas geht um. Vergangenheit und Zukunft eines deutschen Weihnachtsbrauches (Kassel 1965); K. Ameln, »Quem pastores laudavere«, in: Jahrbuch für Liturgik und Hymnologie 11 (1966) 45–88. Noch bis ins 19. Jh. wurde auch in mehreren protestantischen Gemeinden das Lied »Resonet« nur in lateinischer Sprache gesungen; vgl. R. Heidrich, Christnachtfeier und Christnachtgesänge in der evangelischen Kirche (Göttingen 1907) 60, 74, 77, 81, 85; H. Adam, Kirchengeschichte der evangelischen Gemeinde Hammerstein und Wehnershof (Braunschweig 1933) 42–44; W. Lipphardt, in: Jahrbuch für Liturgik und Hymnologie 17 (1972) 194–204.

4. »Aliud Canticum (ein anderes Lied): Puer natus in Bethlehem« (Bäumker I Nr. 51, S. 312; Wackernagel I Nr. 309, S. 198; V Nr. 1226, S. 978).

Zur Geschichte dieses aus dem 14. Jh. stammenden und viel gesungenen lateinisch-deutschen Liedes vgl. Bäumker I S. 312–315. Im Gegensatz zu dem vorausgenannten Weihnachtslied begegnet uns dieses relativ selten in evangelischen Gesangbüchern. In einem Nonnengebetbuch des 15. Jh. (vgl. Jahrbuch für Liturgik und Hymnologie 1969, S. 125, 128) steht unser Lied als Tropus zum Introitus der 1. Weihnachtsmesse (zwischen Gloria Patri und der Wiederholung der Antiphon); vgl. auch Exkurs 1.

5. »Dies est laetitiae. Teutsch« (Bäumker I Nr. 43, S. 286; Wackernagel II Nr. 692, S. 522).

Die in mehreren Fassungen überlieferte deutsche Übersetzung des lateinischen Hymnus »Dies est laetitiae« gehört zu den oben genannten Quempas-Liedern. Ebenso das folgende:

6. »In dulci jubilo« (Bäumker I Nr. 50, S. 308; Wackernagel II Nr. 642, S. 484).

Auffällig ist, daß bei uns die 4. Strophe »Mater et filia ist junckfraw maria«, die auch in den protestantischen Gesangbüchern fehlt, ausgelassen ist. Zum Lied vgl. Hoffmann von Fallersleben, In dulci jubilo (Hannover ²1854); C. Gottwald, in: Jahrbuch für Liturgik und Hymnologie 9 (1964) 133–143.

7. »Tempores paschali (zur Osterzeit). Das Lobgesang Christ ist erstanden« (Bäumker I Nr. 242, S. 507; Wackernagel II Nr. 943, S. 729).

Zur Geschichte des seit dem 12. Jh. handschriftlich bezeugten Liedes vgl. W. Lipphardt, in: Jahrbuch für Liturgik und Hymnologie 5 (1960) 96–114, wobei auch die vorreformatorische Verwendung des Liedes im Gottesdienst eingehend behandelt wird; hier auch weitere Literatur. Hinsichtlich der Verwendung des Liedes bei der Auferstehungsfeier, vor allem in Regensburg vgl. K. Gamber, Ecclesia Reginensis (Regensburg 1979) 272f.

Auffällig ist das Fehlen von Kreuz- und Passionsliedern in unserer Sammlung.

8. »Erstanden ist der heylig Christ« (Bäumker I Nr. 244, S. 513; Wackernagel II Nr. 961, S. 737).

Zur Geschichte des wohl noch im 15. Jh. entstandenen Liedes vgl. Bäumker I S. 513–521. Es handelt sich um die Übersetzung des lateinischen Hymnus »Surrexit Christus hodie« (Wackernagel I Nr. 276), der erstmals in einer Münchener Handschrift (Clm 5539 fol. 142) aus dem 14. Jh. bezeugt ist. Sowohl der lateinische als auch der deutsche Text ist in die protestantischen Gesangbücher eingegangen (vgl. Wackernagel I Nr. 280). Im Obsequiale ist nur die deutsche Fassung aufgenommen worden.

9. »Regina coeli. Teutsch« (Bäumker II Nr. 9, S. 81; Wackernagel II Nr. 971, S. 743).

Eine ältere, von der unseren abweichende Fassung dieses

Liedes stammt aus dem 15. Jh.; sie findet sich in einer Handschrift des Hauptstaatsarchivs Dresden (Loc. 10297); vgl. Wackernagel a. a. O. 743. Unsere Fassung von Text und Melodie auch im Gesangbuch von Leisentritt 1567, eine andere begegnet uns im Constanzer Gesangbuch 1600.

10. »In diebus rogationum. Die Zehen Gebott« (Bäumker II Nr. 205, S. 223; J. Kehrein, Katholische Kirchenlieder II Nr. 581, S. 404; Wackernagel II Nr. 1127, S. 906).

Dieser Gesang, ein sog. Ruf, ist erstmals in einer Handschrift von Klosterneuburg (Cod. 1228) aus dem Anfang des 16. Jh. überliefert (vgl. Wackernagel a. a. O. 905).

11. »Ein ander Ruff. Da Jesus zu Bethanien was« (Bäumker II Nr. 418, S. 365; Wackernagel II Nr. 1208, S. 971).

Das Regensburger Obsequiale bildet die älteste Quelle dieses 151-strophigen Liedes, das möglicherweise auch hier entstanden ist.

12. »Ein ander Ruff. Jesus ist ein süsser nam« (Bäumker I Nr. 117, S. 376; Wackernagel II Nr. 1002, S. 754).

Auch hier ist die oben genannte Handschrift von Klosterneuburg die älteste Quelle.

13. »Das Vatter unser« (Bäumker II Nr. 202, S. 217; Kehrein II Nr. 568, S. 387).

Für dieses sicher vorreformatorische Lied – es erscheint bereits im protestantischen Zwickauer Gesangbüchlein 1525 – ist unser Obsequiale die älteste katholische Quelle. In späteren Gesangbüchern findet sich interessanterweise die Überschrift: »Das heilige Vatter unser auff Regenspurgische Melodey« (vgl. Bäumker a. a. O. 218), was darauf schließen läßt, daß die Melodie in Regensburg entstanden ist oder doch hier schon früh gesungen wurde.

14. »Pentecostes et caeteris Dominicis diebus usque ad primam Dominicam Adventus« (an Pfingsten und an den übrigen Sonntagen bis zum 1. Adventssonntag) »Komm heiliger Gaist« (Bäumker I Nr. 342, S. 640; Wackernagel II Nr. 988, S. 748).

Es handelt sich um die in Bayern während des 16. Jh. übliche Fassung des Liedes, das erstmals in »Das Plenarium oder Ewangely buoch« (Basel 1514) gedruckt ist. Luther hat das Lied überarbeitet und um 2 Strophen vermehrt.

15. »Corporis Christi (Fest des Herrenleibs). Der wahre Fronleichnam, in der Melodey Ave vivens hostia zu singen« (Bäumker I Nr. 379, S. 708; Wackernagel II Nr. 1273, S. 1040).

Auch hier ist das Regensburger Obsequiale die älteste Quelle. Eine Übersetzung des lateinischen Gesangs »Ave vivens hostia« (vgl. Wackernagel I Nr. 408, S. 240) durch den Mönch von Salzburg bei Bäumker I S. 707.

Exkurs 1

Das Erfurter Weihnachtsgloria
Ein Beitrag zur Geschichte des Kirchenlieds in der Liturgie

Das Domarchiv von Erfurt bewahrt ein handschriftliches Graduale, das um 1500 in ausgezeichneter Text- und Notenschrift geschrieben und mit künstlerisch hervorragenden Initialen geschmückt ist.[1] Es befand sich einst in der Stiftskirche U.L.F. und hatte wohl seinen Platz auf dem Sängerpult vor dem alten Wolframleuchter im Hohen Chor.

Man ist erstaunt, beim Durchblättern dieses lateinischen Choralbuches plötzlich auf deutsche Liedtexte zu stoßen. Sie befinden sich in einem Nachtrag, den eine spätere, wenig geübte Hand auf einer leergebliebenen Seite in der 2. Hälfte des 16. Jh. hinzugefügt hat. Dieser sich an das Kyriale anschließende Nachtrag enthält ein Weihnachtsgloria mit eingefügten deutschen und lateinischen Kirchenliedern, wie es wohl schon lange vorher im Erfurter Dom gesungen wurde.

Zuerst steht das tropierte Weihnachts-Kyrie »Kyrie magne deus potentiae«, danach folgt die Rubrik: »Sequuntur cantiones, quae tempore natalis Christi Et in terra intercinuntur«; was zu übersetzen ist: »Es folgen die Gesänge, die in der Weihnachtszeit zwischen die Absätze des Gloria gesungen werden.« Mit »Et in terra (pax hominibus)« ist der Gesang des Gloria gemeint. So gibt es in unserem Graduale ein »Et in terra dominicale, paschale« usw.

Es folgt nun der Text des Weihnachtsgloria, wobei wir diesen nach dem alten tropierten Gloria in festis B.M.V. in demselben Liturgiebuch ergänzen, weil damals nach dem Erfurter »Directorium chori« dieses Gloria in der Christnacht gesungen wurde. In der Handschrift sind jeweils nur die ersten Worte des nächstfolgenden Abschnitts niedergeschrieben (bei uns mit großen Buchstaben gedruckt). Den Liedtexten hat man leider keine Melodien beigegeben; diese werden, weil schon lange gesungen, als allgemein bekannt vorausgesetzt.

Et in terra pax hominibus bonae voluntatis:

Dies est laetitiae in ortu regali
nam processit hodie de ventre virginali
puer admirabilis vultu delectabilis
in humanitate,
qui inaestimabilis est et ineffabilis
in divinitate.

Der tag der ist so freudenreich
allen Creaturen:
dan Gottes Sohn vom himmelreich
vber die naturen,
von einer Jungfrau ist gebohrn,
Maria du bist außerkohrn,
das du mutter werdest,
waß geschach so wunderlich,
Gottes Sohn vom himmelreich,
der ist mensch gebohren.

LAUDAMUS TE. Benedicimus te. Adoramus te.
Glorificamus te:

Ein kindelein so löbelich
ist unß gebohren heute,
von einer Jungfrawen seuberlich
zu trost unß armen leuten,
wer unß das kindelein nicht gebohrn,
so weren wir altzumahl verlohrn,
das heil ist unser aller,
Ey du süßer Jesu Christ,

weil du mensch gebohren bist,
behüt unß für die hellen.

GRATIAS AGIMUS TIBI propter magnam gloriam tuam.
Domine Deus, rex caelestis, Deus pater omnipotens:

Omnis mundus jucundetur nato salvatore,
casta mater quae concepit Gabrielis ore,
sonoris vocibus, sinceris mentibus,
exultemus et laetemur hodie, hodie, hodie
Christus natus ex Maria Virgine, Virgine, Virgine,
vir, vir, vir, vir, vir, vir, vir, vir, Virgine,
gaudete, gaudete,
gaudeamus et laetemur itaque, itaque,
ita, ita, ita, ita, itaque.

DOMINE FILI UNIGENITE Jesu Christe.
Spiritus et alme orphanorum paraclite.
Domine Deus, agnus Dei, filius Patris.
Primogenitus Mariae Virginis matris:

Puer natus in Bethlehem :|:
Vnde gaudet Jerusalem alle, alleluja.
Ein kindt gebhorn zu Bethlehem :|:
deß frewet sich Jerusalem alle, alleluja.

Hic jacet in praesepio :|:
qui regnat sine termino alle, alleluja.
Hie liegt es in dem krippelein :|:
ohn end so ist die herschaft sein alle, alleluja.

Cognovit bos et asinus :|:
quod puer erat Dominus alle, alleluja.
Daß Ochslein vnd das Eselein :|:
erkanten Gott den herren sein alle, alleluja.

Reges de Saba veniunt :|:
aurum thus myrrham offerunt alle, alleluja.
Drey konig von Saba kahmen dar :|:

golt weyrauch myrrehn brachten sie dar alle, alleluja.

Intrantes domum invicem :|:
novum salutant principem alle, alleluja.
Sie giengen in das hauß hinein :|:
sie grüßten Gott den herren fein alle, alleluja.

Laudetur Sancta trinitas :|:
Deo dicamus gratias alle, alleluja.
Vor solche gnadenreiche zeit :|:
sey Gott gelobt in ewikeit alle, alleluja.

QUI TOLLIS PECCATA MUNDI miserere nobis.
Qui tollis peccata mundi, suscipe deprecationem nostram.
Ad Mariae gloriam.
Qui sedes ad dexteram Patris, miserere nobis:

In dulci jubilo, nuhn singet vnd seit froh,
vnsers hertzen wohne ligt in praesepio,
vndt leuchtet als die sonne matris in gremio
alpha es et o, alpha est et o.

O Jesu parvule, nach dir ist mihr so weh,
trost mirh mein gemüthe, o puer optime,
durch alle deine güthe, o princeps gloriae,
trahe me post te, trahe me post te.

Mater et filia ist Jungfrau Maria,
wir weren all verlohren per nostra crimina,
so hastu vnß erworben caelorum gaudia,
Maria hilf vnß da, Maria hilf unß da.

Vbi sunt gaudia, nirgendt mehr denn da,
da die engel singen nova cantica,
vnd die schellen klingen in regis curia.
Eya weren wir da, eya weren wir da.

QUONIAM TU SOLUS SANCTUS
Mariam sanctificans.
Tu solus Dominus.

Mariam gubernans.

Resonet in laudibus cum jucundis plausibus
Syon cum fidelibus, apparuit quem genuit Maria.
Sunt impleta quae praedixit Gabriel.
eia, eia, Virgo Deum genuit,
quem divina voluit clementia,
hodie apparuit, apparuit in Israel,
ex Maria Virgine est natus rex.

TU SOLUS ALTISSIMUS
Mariam coronans, Jesu Christe.
Cum Sancto Spiritu in gloria Dei Patris. Amen.

Eine nähere Betrachtung zeigt, daß die sechs Lieder unseres Weihnachtsgloria, die uns auch im Obsequiale von 1570 begegnet sind und im katholischen Gesangbuch von Witzel »Psaltes ecclesiasticus« von 1550 unter den »Jubelgesängen der heiligen Weihnachten« aufgeführt werden, nicht wahllos in den Englischen Lobgesang eingefügt sind, sondern daß sich mehrere Sinn- und Wortverbindungen zwischen den jeweils vorhergehenden Abschnitten des Gloria und den nachfolgenden Liedstrophen feststellen lassen.

Die Reformatoren haben den Brauch des mit Weihnachtsliedern tropierten Gloria aus der alten Kirche übernommen und mannigfach weitergepflegt. Es ist durchaus anzunehmen, daß auch Luther während seines zehnjährigen Aufenthaltes im Erfurter Augustinerkloster diese liturgische Sitte kennen und schätzen gelernt hat.

Im protestantischen Missale des Ludecus aus dem Jahr 1589 findet sich ein Weihnachtsgloria, das dem Erfurter recht ähnlich ist.[2] Hier haben wir unter der Überschrift »Ordo cantionum in nocte Christi quae loco matutinarum precum in nonnulis ecclesiis canuntur« folgende Ordnung:

Nach dem einleitenden Lied »Vom Himmel hoch da komm ich her« stimmt der Diakon das Gloria an, Orgel und Chor antworten mit den Liedern »Resonet in laudibus« und »In dulci jubilo«. Dann folgt der »Quempas«, d. i. das Ineinandersingen der beiden Lieder »Quem pastores laudavere« und »Nunc angelorum gloria«.

Die Ordnung der Christnachtfeier des Ludecus blieb auch in der Folgezeit in mehreren evangelischen Gemeinden, besonders im ostelbischen Gebiet, grundlegend. So sang man z. B. in Wangerin (Pommern) in der Heiligen Nacht nach einem Einleitungslied »Gloria in excelsis deo« (lateinisch und deutsch) und dann anschließend den »Quempas«.[3]

Anders in einem niedersorbischen Gesangbuch von 1574. Hier ist an Weihnachten das Lied »Also heilig ist der Tag« dem lateinischen Gloria angefügt, was ebenfalls eine Übernahme aus der katholischen Zeit darstellen dürfte.[4]

Ein kurzer deutsch-lateinischer Tropus zum Gloria der ersten Weihnachtsmesse findet sich fol. 27 v in einer Handschrift der Herzog-August-Bibliothek zu Wolfenbüttel (Cod. Guelf. 300, 1 Extrav.), einem im 15. Jh. geschriebenen Nonnengebetbuch aus der Lüneburger Heide.[5]

Missale volgare

Ein Volksmeßbuch aus dem Mittelalter

Die Ansicht ist weit verbreitet, daß der Beuroner Benediktinerpater Anselm Schott im Jahre 1884 als erster ein deutsches Volksmeßbuch herausgegeben hat. Wir besitzen jedoch eine ziemliche Anzahl Meßbücher in deutscher Sprache bereits aus früheren Jahrhunderten.[6] Mit das älteste, das uns erhalten ist, stammt noch aus dem Spätmittelalter; es ist genau datierbar, da der Schreiber sich am Schluß selbst nennt: »Explicit missale volgare per manus Franconis a. D. 1404 ... completum in nyhusen maiori« (Es schließt das Volksmeßbuch geschrieben von Franco in Großneuhausen). Heute befindet sich das Missale in der berühmten Handschriftensammlung der Amploniana in Erfurt,[7] in dessen Nähe auch Großneuhausen, der Ort der Entstehung unseres Missale, liegt.

Wie genauere Untersuchungen ergeben haben, handelt es sich hierbei um die Abschrift eines älteren deutschen Meßbuches, wahrscheinlich noch aus dem 14. Jahrhundert.[8] Dafür spricht u. a. die altertümliche, dem Mittelhochdeutschen nahestehende Sprache. Die Übersetzung ist zum großen Teil flüssig und schön. Leider sind nicht alle Meßtexte vollständig übertragen worden, lediglich bei den höheren Festen finden wir das ganze Formular. Zur Probe seien einige Texte wiedergegeben:

1.

Gloria in excelsis Deo
Ere sye gote yn den höen
vnde frede yn den erden
den luytin eynis guten willen.
Wir lobin dich.
Wir benedyen dich.
Wir anebeten dich.
Wir eren dich..
Gnade sage wir dir
durch dyne groze ere.
Herre got hymmelischere koning.
Got vatir almechtiger Herre,
eyngeborner son ihesu criste,
vnd heyliger geist.[9]
Herre got gotis lamp,
der du uffhebist die sünde der werlde,
irbarme dich unser,
der du uffhebist die sünde der werlde,
enpfach unser gebete,
der du siczes czu der rechtin hand des vatirs,
irbarme dich unser.
Wenne du alleyne bist heylich,
du alleyne eyn herre,
du alleyne der allirhöchste, ihesu criste
myt deme heyligen geyste
yn der ere des vatirs.
amen. daz ist war.

2.

Der introytus zu der hocmesse. Puer natus
Daz kynd ist uns geborn
und der son ist uns gegebin
des riche ist uff synen achseln

und syn name ist geheysin
eyn engel des grosen ratis.
V. Cantate / Singit gote eynen nüwen sang,
wan he wundir hat getan.

Kollekte. Concede quaesumus omnipotens/
Vorlich uns, wir betin almechtiger got, daz uns, die nüwe gebort dynes almechtigen sones irlöze, die daz alde dinst heldit undir deme yoche der sünde.

Graduale. Viderunt/
Es sahen alle die ende der werlde
das heyl unsers gotis.
V. Jubiliret gote alle erde
got hat kund getan syn heil
vor deme angesichte der lüte
uffinbarte he syne gerechtikeyt.

Offertorium. Tui sunt celi/
Die hymele sind dyn
die erde ist dyn
den umekreis der erden hastu gefullet
gerichte und gerechtikeit
daz ist die bereitschaft dynes stules.

Communio. Viderunt/
Alle die ende der werlde
sehen daz heil unsers gotis.

3.

Ben sente Johannes des ewangelisten czu der messe.
Introitus. In medio ecclesiae/
In mittene der kirchen
ted he uff synen mund

vnd got irfüllete en
mit deme geiste der wisheit vnd der vornumpft
vnd cleydete en mit der stolen der eren.
Bonum/Es ist gut gote bichten
vnd syme namen singen allirhöcht

Oratio. Ecclesiam tuam/
Herre dyne cristenheit irluchte gnediglich,
daz sie ben sente iohanes ewangelisten lere
irluchtit kome czu der ewigen gabe.

4.

An deme sczwelftin tage[10].
Introitus. Ecce advenit/
Sich her komit der herschinde herre,
vnd fürt syn rich yn syner hand
und gewald vnd gebod.
Deus iudicium/
Got gip dyn orteyl deme koninge
vnd dyne gerechtikeyt des koningis sone.

5.

An deme ostirtage.
Introitus. Resurrexi et adhuc sum tecum/
Ich erstanden vnde ben noch mit dir, alleluia.
Du hast uf mich geleyt dine hand, alleluia.
wunderlich ist wordin dine kunst, alleluia, alleluia.
Herre du hast mich vorsucht vnd hast mich bekant,
du hast bekant myn siczen vnd ufirstandunge.

Complenda. Spiritum/
Den geist diner liebe herre gius in uns, das
dy dy du gesetigit hast mit deme ostirlichen
sacramente, mache eintrechtig mit dyner
mildekeit.

Das Erfurter Meßbuch ist eine wertvolle Zeuge für die volksliturgischen Bestrebungen im Spätmittelalter. Es gehört in eine Reihe mit weiteren bekannten Übersetzungen der Psalmen, Hymnen, ja des ganzen Breviers, die für den Gebrauch des Volkes damals gemacht worden sind.

Anmerkungen

1 Vgl. K. S. Meister, Das katholische deutsche Kirchenlied in seinen Singweisen von den frühesten Zeiten bis gegen Ende des siebzehnten Jh. I (Freiburg 1862) 13.

2 Hinsichtlich der Theologie vgl. Th. Beer, Der fröhliche Wechsel und Streit. Grundzüge der Theologie Martin Luthers (Einsiedeln 1980).

3 Vgl. W. Bäumker, Das katholische deutsche Kirchenlied in seinen Singweisen II (Freiburg 1883) 8f.

4 In Clm 14094 aus dem 14. Jh. ist ein solcher Planctus aus St. Emmeram in Regensburg erhalten, beginnend: »Heu, heu! virgineus flos ...«; herausgegeben von K. Young, The Drama of the Medieval Church I (Oxford 1933) 699f.; vgl. auch B. Bischoff, Mittelalterliche Studien II (Stuttgart 1967) 122f.

5 Vgl. W. Lipphard, Lateinische Osterfeiern und Osterspiele I–V (Berlin – New York 1975ff.)

6 Regensburg, Bischöfl. Zentralbibliothek, Proskebibliothek Ch 1*; vgl. J. Poll, Ein Osterspiel enthalten in einem Prozessionale der Alten Kapelle, in: Kirchenmusikalisches Jahrbuch 34 (1950) 35–40.

7 Vgl. K. Gamber, Ecclesia Reginensis. Studien zur Geschichte und Liturgie der Regensburger Kirche im Mittelalter (= Studia patristica et liturgica 8, Regensburg 1979) 141–153.

8 Vgl. O. Dietz (Hsg.), Martin Luther: Geistliche Lieder (München 1940) Auszug aus dem 3. Band der Münchner Lutherausgabe, Nr. 27.

9 Zur Geschichte des Kirchenliedes in der Liturgie vgl. Hoffmann v. Fallersleben, Geschichte des deutschen Kirchenliedes ([3]1861) 178ff., 192ff.; Bäumker, Das katholische deutsche Kirchenlied (oben Anm. 3) II, 8ff.: Über die Stellung des deutschen Kirchenliedes in der Liturgie; C. Blume, Unsere liturgischen Lieder (Regensburg 1932) 9f.

10 Vgl. W. Lipphardt, »Christ ist erstanden«. Zur Geschichte des Liedes, in: Jahrbuch für Liturgik und Hymnologie 5 (1960) 96–114.

11 Vgl. Aranca, »Christos anesti«. Osterbräuche im heutigen Griechenland (Zürich 1968) 212ff.

12 Vgl. Gamber, Ecclesia Reginensis (Anm. 7) 273.

13 Vgl. W. Bäumker, Das katholische deutsche Kirchenlied III (Freiburg 1891) 313–316; W. Lipphardt, in: Jahrbuch für Liturgik und Hymnologie 4 (1958/59) 95–101.

14 Vgl. M. Luther, Geistliche Lieder (Anm. 8) Nr. 14 mit Anm. 88–90.

15 Die Sequenz findet sich erstmals in einem Regensburger Tropar um 1030; vgl. W. Thomas, in: Jahrbuch für Liturgik und Hymnologie 118ff.

16 Vgl. W. Lipphardt, in: Jahrbuch für Liturgik und Hymnologie 15 (1969) 125.

17 Vgl. Hoffmann v. Fallersleben (Anm. 9) 66.

18 Vgl. Bäumker (Anm. 3) I, 635–638.

19 Vgl. O. Ursprung, Die katholische Kirchenmusik (Potsdam 1931) 109, wo der Anfang dieser tropierten Sequenz aus einem Prozessionale des 15. Jh. wiedergegeben ist; S. Hohmann, All mein gedenken – ein Liederbuch (München 1926) 249f.; Eucharistia, Deutsche eucharistische Kunst (München 1960) 47, wo auf ein Prozessionale von Miltenberg hingewiesen wird.

20 Vgl. K. Ameln, »Quem pastores laudavere«, in: Jahrbuch für Liturgik und Hymnologie 11 (1966) 45–88.

21 Vgl. Hohmann (Anm. 19) 176; K. Ameln, »Resonet in laudibus« – »Joseph lieber Jospeh mein«, in: Jahrbuch für Liturgik und Hymnologie 15 (1970) 52–112.

22 Vgl. G. M. Dreves, Beiträge zur Geschichte des deutschen Kirchenliedes II, in: Kirchenmusikalisches Jahrbuch 3 (1888) 36.

23 Vgl. R. Heidrich, Christnachtsfeier und Christnachtsgesänge in der evangelischen Kirche (Göttingen 1907); W. Thomas, Der Quempas geht um. Vergangenheit und Zukunft eines deutschen Christnachtbrauches (Kassel 1965).

24 Vgl. Heidrich, Christnachtsfeier 106. Ich hatte mir während des Krieges das hier kurz wiedergegebene »Singbuch am Tage der Geburt Jesu Christi« von Preußisch-Friedland, in dem sich ein tropiertes Benedictus (deutsch) befindet, abgeschrieben. Das Manuskript ist jedoch leider verloren gegangen.

25 Vgl. R. Schlecht, Geschichte der Kirchenmusik (Regensburg 1871) Nr. 32 S. 265.

26 So u. a. in der aus Thüringen stammenden Handschrift 1305 der Universitätsbibliothek Leipzig; vgl. Ameln, in: Jahrbuch für Liturgik und Hymnologie 15 (1970) 111.

27 Vgl. Hohmann (Anm. 19) 218 bzw. 270f.

28 Vgl. das Facsimile bei Meister (Anm. 1) Nr. VI; Ursprung, Die kathol. Kirchenmusik (Anm. 19) 107.

29 Vgl. Ursprung 105.

30 Vgl. Bäumker I, 462–467; W. Lipphardt, »Laus tibi Christe« – »Ach du armer Judas«. Untersuchungen zum ältesten deutschen Passionslied, in: Jahrbuch für Liturgik und Hymnologie 6 (1961) 71–100.

31 Vgl. Th. Bogler, Volksmeßbuch, in: Lexikon für Theologie und Kirche X (^{2}1965) 858.

32 Vgl. u. a. Gotha, Schloßbibliothek, Hs Memb. I 157; Graz, Universitätsbibliothek, MS 34/21 Fol.; Berlin, Staatsbibliothek, Ms Germ 4° 1845, alle aus dem 15. Jh.

33 »Brevier, Teutsch Römisch. Nämlich den Klosterfrawen, die nach dem lateinischen Römischen brevier ... jre tagzeit bezalen. Auch der priesterschafft« (Augsburg, Weißenhorn 1535); vgl. Bäumker I Nr. 119 S. 65.

34 Ph. Harnoncourt, Gesamtkichliche und teilkirchliche Liturgie (Freiburg 1974) 47, vgl. auch 297.

35 So haben in der Barockzeit die mittelalterlichen Mysterienspiele Nachfolger erhalten; in Kemnath z. B. wurde am Karfreitag während der Prozession durch die Straßen der Stadt eine »Passion Comedi« von der Gefangennahme und Verurteilung Jesu aufgeführt, wie die Handschrift von 1731 im Bischöfl. Zentralarchiv Regensburg zeigt; vgl. G. Högl, Die Passionsspiele in Niederbayern und der Oberpfalz im 17. und 18. Jh. (Diss. München 1957).

36 Vgl. A. L. Mayer, Liturgie, Aufklärung und Klassizismus, in: Jahrbuch für Liturgiewissenschaft 9 (1929) 67–127.

37 Vgl. H. Müller, Zur Geschichte des deutschen Kirchengesanges im katholischen Gottesdienste, in: Kirchenmusikalisches Jahrbuch 16 (1901), 90–99.

38 Vgl. Bäumker III, 158–160: »Wir wollen, daß der lateinische, Allen unverständliche Choral gänzlich aufhöre« (S. 160); (Wir

befehlen,) »sofort besagte Lieder einzuführen. Die in einigen Orten noch gebräuchliche lateinische Metten und Vespern abzustellen und an deren statt dem gemeinen Mann verständliche und auf Zeit und Andacht passende Lieder zu gebrauchen« (S. 158).

39 Vgl. Bäumker III, 15.

40 Vgl. J. Lipf, Oberhirtliche Verordnungen und allgemeine Erlasse für das Bisthum Regensburg (Regensburg 1853) Nr. 382 S. 100.; Bäumker IV, 394.

41 Vgl. Lipf a. a. O. Nr. 394 S. 602

42 Vgl. Ursprung 225; Bäumker III, 303 ff., IV 755 ff.; W. Kurthen, Zur Geschichte der deutschen Singmesse, in: Kirchenmusikalisches Jahrbuch 26 (1931) 76–110.

43 Vgl. L. Hain, Repertorium bibliographicum II, 1 (Neudruck 1949) Nr. 11931. Davon 2 Exemplare in der Bischöflichen Zentralbibliothek Regensburg (Proske Ch 44 und 44 a), 2 Exemplare in der Staatlichen Bibliothek (Rat.episc.et eccl. 478 und 478 a) und 1 Exemplar in der Stiftsbibliothek der Alten Kapelle (Nr. 1857, aus Alburg), jetzt als Dauerleihgabe in der B. Zentralbibliothek. Von einem weiteren Exemplar auf Pergament gedruckt, befinden sich zahlreiche Doppelblätter im Bischöfl. Zentralarchiv.

44 Vgl. Ph. Wackernagel, Bibliographie zur Geschichte des deutschen Kirchenliedes im 16. Jh. (Frankfurt 1855) 915; J. Kehrein, Die ältesten katholischen Gesangbücher I (Würzburg 1859, Nachdruck Hildesheim 1965) 38; Bäumker I, 67; M. Härting, Kirchenlieder in den ersten nachtridentinischen Diözesan-Ritualien Süddeutschlands, in: Musica sacra 88 (1968) 263–273.

45 Vgl. Bäumker I, Nr. 255 S. 85 und Härting (Anm. 44) 265. Von den beiden letzten Auflagen befinden sich Exemplare in der Bischöfl. Zentralbibliothek Regensburg. Das Obsequiale wurde 1661 abgelöst durch die in Salzburg gedruckte »Agenda seu Rituale Ratisbonense ad usum Romanum accomodatum«, wo eine weitgehende Anpassung an den tridentinischen Ritus erfolgt ist; vgl. H. J. Spittal, Der Taufritus in den deutschen Ritualien (= Liturgiew. Quellen und Forschungen 47, 1968) 268.

46 Von letzterem gibt es eine Facsimile-Ausgabe mit einem Nachwort von W. Lipphardt (Kassel 1966).

47 Lateinischer Text bei Härting a. a. O. 264.

48 Vgl. R. Bauerreiss, Kirchengeschichte Bayerns VI (Augsburg 1965) 354.
49 Lateinischer Text bei Härting a. a. O. 264.
50 Bauerreiss a. a. O. 254.
51 Vgl. J. Staber, Kirchengeschichte des Bistums Regensburg (Regensburg 1966) 124.
52 Bauerreiss a. a. O. 254.
53 Vgl. J. Zahn, Die Melodien der deutschen evangelischen Kirchenlieder VI (Gütersloh 1893) Nr. 59 S. 19.
54 Vgl. Zahn a. a. O. Nr. 195 S. 55.
55 Vgl. die entsprechenden Angaben von Zahn.
56 Ein in Sulzbach (Oberpfalz) gebrauchtes Exemplar in der Proske-Bibliothek, Ch 46; vgl. auch Zahn a. a. O. Nr. 120 S. 38.
57 Vgl. Bäumker IV S. 29 Nr. 6. Seite 294 findet sich eine »Visitatio sepulchri« am Karsamstag Abend mit dem Lied »Christ ist erstanden«. Die Kirchenlieder tragen den Titel »Cantiones devotae«.
58 Angabe fehlt bei Bäumker; vgl. Härting a. a. O. 265.
59 Vgl. Bäumker I, Nr. 151 S. 70.
60 Vgl. Bäumker I, Nr. 163 S. 72.
61 Fehlt bei Bäumker; vgl. Härting a. a. O. 265.
62 Vgl. Bäumker III Nr. 389 S. 117 bzw. Nr. 15 S. 28. Ein Exemplar des Prager Rituale konnte ich i. J. 1945 im Pfarrhof von Seelenz (bei Iglau), wo mich der dortige Pfarrer Anton Janko liebevoll aufgenommen hatte, einsehen. Die Kirchenlieder stimmen genau mit denen im Pastorale von 1627 bzw. 1629 überein; sie stehen S. 218–232; vgl. Härting a. a. O. 266.
63 Fehlt bei Bäumker; vgl. Th. Wackernagel, Das deutsche Kirchenlied von der ältesten Zeit bis zu Anfang des 17. Jh. (Leipzig 1864) I, 500.
64 Vgl. Bäumker I, Nr. 175 S. 73.

Zu Exkurs 1 und 2:

Es handelt sich um Überarbeitungen meiner Aufsätze: Das Erfurter Weihnachtsgloria, in: Monatsschrift für Gottesdienst und kirchliche Kunst 46 (1941) 70–74, und Missale volgare, in: Musik und Kirche 14 (1942) 121 f. bzw. Bibel und Liturgie 22 (1955) 358–360.

1 Erfurt, Domarchiv, Pg. Hs liturg. 6. Ohne Titelblatt und Jahreszahl. Beschläge des Deckels um 1460, Einband selbst um 1520. Erfurter Buchbinder. Hufnagelnotenschrift. Germanischer Choraldialekt, wie er heute noch in Kiedrich im Rheingau gesungen wird.

2 Vgl. K. Ameln, »Quem pastores laudavere«, in: Jahrbuch für Liturgik und Hymnologie 11 (1966) 88.

3 Vgl. R. Heidrich, Christnachtfeier und Christnachtgesänge in der evangelischen Kirche (Göttingen 1907) 94.

4 Vgl. A. Moller, Niedersorbisches Gesangbuch und Katechismus. Budissin 1574 (= Veröffentlichungen des Instituts für Slavistik der Deutschen Akademie d. W. zu Berlin Nr. 18, Berlin 1959) 79.

5 Vgl. W. Lipphardt, in: Jahrbuch für Liturgik und Hymnologie 14 (1969) 124, 127.

6 Die ältesten derartigen Bücher werden »Plenaria« genannt; sie enthalten meist nur die Episteln und Evangelien des Jahres. Ein früher Druck: »Ein plenari nach Ordnung der hl. christlichen Kirchen in dem man geschrieben findet all epistel und evangeli als gesungen und gelesen werden in dem Amt der hl. Meß«. Ohne Druckort 1473. Dasselbe Urach 1481 und Straßburg 1483. Umfassende Literatur bei Th. Bogler, Flurheym: Deutsches Meßbuch von 1529 (Maria Laach 1964).

7 Erfurt, Stadtbücherei, Cod. Amplon. 2° 148, Papier-Handschrift. In ziemlich kräftiger Kursive zweispaltig geschrieben. Einband: Holzdeckel mit Überzug aus rotem, roh gepreßtem Leder. Die ersten 16 Seiten der Handschrift bringen ein Register der Episteln und Evangelien des Jahres mit Seitenvermerk: »Hye hebet sich an daz register ubir daz missal unde ist czu dem ersten suntag alz sich daz advent anhebit.«

8 Nach einer damaligen brieflichen Mitteilung von Prof. Dr. Hans Vollmer, der unter anderem auf seine Veröffentlichungen in: Bibel und Deutsche Kultur VI (1936), VII (1937) und VIII (1938) hingewiesen hat.

9 Übersetzung von: »Et sancte spiritus« der frühen Gloria-Fassung.

10 An dem zwölften Tage (nach Weihnachten).

ANHANG:

Eine Pilgerfahrt nach Rom im Jahr 1867 beschrieben von Balthasar Falter von der Kumpfmühl (b. Regensburg)

Von Sieghild Rehle

Wieviel mußte man noch vor über 100 Jahren bei einer Pilgerfahrt nach Rom auf sich nehmen! Es dauerte 14 Tage bis man ans Ziel gelangte, dann folgte ein voller Monat rastloser Besichtigungen in der Ewigen Stadt zur heißen Jahreszeit und ungefähr eine Woche dauerte die Rückkehr. Schon gibt es Eisenbahnen, aber Erinnerungen an die Postkutschenzeit werden wach, wenn die Reisegesellschaft mit dem Pferdefuhrwerk über den Gotthard fahren und an steilen Stellen sogar absteigen muß. Man scheut auch sonst keine Fußwanderungen und sieht sich alles an, was nur möglich ist, denn so eine Reise unternimmt man nur einmal im Leben. Man soll jegliche Gelegenheit ausnützen und sich dabei sein Seelenheil verdienen.

Balthasar Falter erzählt seine Reise im wahrsten Sinne des Wortes. Es kommt ihm auf Zeit und Zahlen an, und was es gekostet hat. Gewissenhaft beginnt er seine Notizen am Abreisetag, den 23. Mai, beschreibt die Stationen bis zur Ankunft in Rom am 5. Juni, gibt genau Bericht über alle Unternehmungen an Vor- und Nachmittagen bis zur Weiterreise am 4. Juli. Was er vergessen hat, bringt er noch am Schluß. Die Sorgfalt der Aufzeichnungen läßt gegen Ende verständlicherweise nach, er nennt kein Datum mehr wie sonst, nur noch den 7. und 10. Juli. Öfter vergaß er (bzw. die Abschreiberin) auch die Uhrzeit und schreibt dann einfach: um 1/2 Uhr.

Die Angaben von Herrn Falter erweisen sich als sachlich richtig, jedenfalls wie es dem Pilger damals unterbreitet wurde. Nur mit Rechtschreibung belastet er sich nicht, er schreibt gewisse Dinge immer gleich falsch oder jedesmal anders. Doppelbuchstaben sind häufig nach altertümlicher Weise durch Querbalken gekennzeichnet. Seine Reiseroute ist nach Berichtigung der Schreibweise der Namen: Regensburg, München, Rosenheim, Kufstein, Innsbruck, Brixen, Bozen, Trient, Rovereto, Verona, Vincenza, Venedig, Padua, Rovigo, Ferarra, Bologna, Imola, Faenza, Forli, Cesena, Rimini, Fano, Senigallia, Ancona, Loretto, Ancona, Foligno, Assisi, Spoleto, Rom. Zurück: Civitavecchia, Livorno, Genua, Alexandria, Valenza, Pavia, Mailand, Lichtenauer See, Tessin, Gotthard, Vierwaldstätter See, Flüelen, Brunnen, Schwyz, Einsiedeln, Richterswil, Zürcher See, Staufen, Zürich, Winterthur, Wil, St. Gallen, Rorschach, Bodensee, Lindau, Kempten, Kaufbeuren, Augsburg, Regensburg.

Wir müssen hier freilich andere Maßstäbe anlegen, als wir es gewohnt sind, um den Wert dieser Köstlichkeit richtig zu schätzen. Unser Pilger ist immerhin ein einfacher Mann, der alles hinschreibt, wie es ihm in den Sinn kommt, ohne auszufeilen oder zu beschönigen. Alles ist echt bei ihm, ohne Tendenz. Seine Schilderungen wirken trocken bis erregt, auf direkte Gefühlsäußerungen trifft man nur gelegentlich. Er wagt sich jedoch an jedes Objekt, was für den Ungeübten nicht so einfach ist, deshalb müssen uns manche Passagen recht unbeholfen anmuten, wenn er etwa eine Weizenernte oder das Flachsraufen beschreibt. Meist bringt er so den Leser unbeabsichtigt zum Lachen. Andererseits aber gelingt ihm oft eine sehr lebendige Darstellung, die an Originalität ihresgleichen sucht, z. B. die Schilderung von Kirchenbeleuchtungen oder Märtyrerqualen.

Als eifriger Pilger findet er alles schön und spart nicht mit Superlativen. Er zählt unermüdlich, aber es gibt »unzählige Lichter« und »so viele Altäre, daß ich sie nicht zählen konnte«.

Als Müller, der er nach der Bezeichnung »von der Kumpfmühl« wahrscheinlich ist, interessiert ihn neben dem Sakralen in auffallender Weise die Landschaft mit ihrer Landwirtschaft. Aber sogar Geschichte und Antike läßt er nicht ganz unerwähnt. Kritik kennt er in seinem Stand freilich keine, sein gesundes Empfinden macht sich aber hintergründig bemerkbar, wenn er gegen Ende häufiger »mußten« gebraucht. Es wird ihm doch langsam zu viel, das Geld reut ihn, er ist verärgert über Verspätungen und Strapazen. Unbeirrbar aber geht er seiner Freude am Zählen nach, denn das ist letztlich der Zweck so einer Pilgerreise: wie viele Kerzen, Kirchen, Altäre, Ämter, Reliquien, Rosenkränze und heilige Messen man sich für den Himmel verdient hat.

Herr Falter schreibt nach Notizen aus seinem Tagebuch, abgeschrieben hat dieses nochmal seine Frau, Rosina Falter, wie die Unterschrift zeigt, denn als Frau war sie sicher nicht Mitglied der Pilgergemeinschaft von 15 Männern aus Oberbayern. Auch sie ist wohl noch für eine Reihe von Rechtschreibefehlern verantwortlich. Leider wurde der gesamte Text ohne Absatz zusammengeschrieben und ist wegen der willkürlichen Zeichensetzung noch unübersichtlicher. Frau Falter schreibt in deutscher Schrift, wie es zur damaligen Zeit üblich war, sorgfältig und gleichmäßig, so gut sie es kann. Vielleicht hat sich der am Schluß unterzeichnete Kooperator aus Schwarzach ein solches Exemplar gewünscht.[1]

Der Pilgerbetreuer war ein Kooperator aus Traunstein; ein Reiseleiter war noch extra dabei, Herr Falter zitiert Erklärungen von ihm und anderen Fremdenführern in Rom. Namen und Fachausdrücke mißlingen ihm meist; wir wissen, was er gemeint hat.

Wir hätten gerne noch Näheres erfahren über die Reisegesellschaft, die Herberge, über Rom und Umgebung und die

---

[1] Manuskript (ein gebundenes Notizbuch, Größe 10:17 cm) im Liturgiewissenschaftlichen Institut, Regensburg.

Leute zur damaligen Zeit. Einige knappe Bemerkungen, die aber tief blicken lassen, müssen uns genügen: z. B. »O wie gut ist es, wieder . . . bei deutschen Leuten zu sein mit Aufrichtigkeit und Religion!«

Die folgende Edition des Reiseberichts hält sich genau an das Manuskript und bringt den Text mit allen Fehlern. Einige falsch geschriebene und ohne Erklärung unverständliche Namen werden in den Fußnoten richtig wiedergegeben. Der fortlaufende Text wurde in Sinnabschnitte unterteilt, die sich im allgemeinen nach den einzelnen Tagen der Pilgerfahrt richten.

Romreise des Balthasar Falter von der Kumpfmühl im Jahre 1867.

Den ersten Tag am 23 Mai blieb ich in München über Nacht, besah des andern Tags die Frauen-Kirche, bemerkenwerht durch ihre 24 Altäre alle mit frisch gearbeitehem gottischer Arbeit. Auch Herzogspitalkirche und Miaheli-Kirche und fuhr ab 1/2 halb 6 Uhr nach Rohenhein[2], blieb dort den 24-ten übernaht. Des andern Tags 1/2 halb 10 Uhr, den 25, schönes Wetter, führ ich nach Kufstein, kam um 11 Uhr an und um 3 Uhr ging der Zug wieder fort nach Imsspruck, die Berge von Rosenheim namentlich der Windlstein, es waren alle vol frischen Schnee [1v] Ankunft in Insbruk um 6 Uhr Abens um 7 Uhr in der Jesuiterkirche, wo eine schöne Mai-Andacht war, dan bein Sternwierth übernacht. Zusammenkunft mit den Andern Kameraden.

Sontag 26-ten schönes Weter wurde beim Kapezinerorten das Fest des Heiligen Benedickt von Urbino, samt einer ersten heiligen Messe gefeiert, mit 2 Predigten, sind auch bemerkenwehrt die schöne Pfarkirche, die Jesuiterkirche, die Franziskanerkirche, Abends wider bein Sternwöhrt übernacht.

Montag 6 Uhr Abgang mit den Stellwagen von Insbruk nach Brixs. Ankunft am Brenr um 2 Uhr Nachmitag, in Brixen Abens 8 Uhr, blieben über [2r] Nacht.

Den 27-ten schönes Wetter. 28-ten Mittag zu Botzen schöne Pfarrkirche, ringsum die schönsten Weinberge bei den Häusern schon Lemonien und Feigenbaume, um 3 Uhr mit der Eisenbahn wieder weiter, um 5 Uhr bei Trient 2 Station weiter Rovenredo[3] Abends 1/2 9 Uhr Ankunft in Verona wider schöne Weinberge mit Maisfeldern auf beiden seiten der Etsch.

Den 29-ten Mai früh 5 Uhr nach Venedig um 7 Uhr bei Vinzinzia[4] vorbei. Ankumft in Venedig um 10 Uhr zuerst eine heilige Messe, dan Mittag Dom Besuch der Hauptplätze. 33 Parreien mit 100 Kirchen welche man von Markusthurm übersehen konte; besahen

---

[2] Rosenheim

[3] Rovereto

[4] Vicenza

die schöne Markuskirche wo imer viele [2v] Ampel und Kerzen brenen, auf mehreren Altären, der Fußboden mit allerlei Farben, von Marmor auch die Säulen von feinsten Marmor. Die Kirche St. Johann und Paul von gleicher Schönheit und Größe, mit den feinsten Gemälden von Leben Jesu und Mari. Dan die Jesuiterkirche; und die schönen Südfrüchte alle wie wir da sahen, solch große Kirschen Zitronen Pomeranzen, Feigen und Blumen und Rosen.

Abgang von Venedig den 29-ten Mai 1/2 Uhr Ankumft in Padua um 7 Uhr, bliben übernacht den andern Tag Christi Himmelfahrt; Besuch der 3 Kirchen St. Antonius. wo viele heiligen Messen und Hochamt beige-[3r]wohnt ward. Der Heilige Antanius Altar mit 20 brenenden Anpeln und 10 Kerzen mit 5 Schu lang 3 Zoll dick 6 kleinere Kerzen sets brenend. Die Kirche der Menschwerdung Christi eine sehr schöne Kirche, St. Justina jetzt bevorstehend groß. Abgang 1/2 Uhr desselben Tags unterwegs schöne Waizenfelder, Mais. Wein und Haber Wintergersten schon weiß, Korn wenig. Station bedeutend Rovige[5] außerhalb, gliech alles von Schauer erschlagen bei 1 1/2 Stunden breit. Ankumft in Ferona[6] um 7 Uhr der Boden üppiger Weizenbau und Hauf in Menge. Ankumft in Bologia[7] 3/4 auf neun Uhr über Nacht.

Den 31-ten Mai schönes Wetter wieder [3v] um 5 Uhr 2 heilige Messen, dan Abgang nach Ankona überaus fruchtbare Gegend in Bologna Hanf und Weizten Obst und Wein Station Jungla Station Farenza Station Forli Station Eisania Station Riwini[8], von Merr nint die Fruchtbarkeit stark ab viel Sand beim Merr und zuden komt noch ein Tunel eine 1/2 Stunde lange; Fano Station Simigaglia Ankunft in Ankona um 1/2 3 Uhr Nachmittag dan 3 Uhr gleich nach Lortto[9], gleich außer Ankona ein 1/2 Stunde lang Tunel. Ankunft in Loretto um 5 Uhr gingen den Berg hinauf in die heilige Lorettokapele, in den großen [4r] Kirche mit 22 Altären und der Kappele brenen imer 40 Anpeln über Nacht.

1-ten Juni in der Früh schönes Wetter gingen wir bein Pater

---

[5] Rovigo

[6] Verona

[7] Bologna

[8] Rimini

[9] Loretto

Ignatius zur heiligen Beicht dan waren imer heilige Messen und Chor und Leviten Ämter bis Mittag. Loretto nicht weit von Merr fruchtbare Gegend.

Sontag 2 Juni schönes Wetter bliben wir noch da bis Tag 2 Uhr mußte ein Man 16 Franken Zehrung führen, wieder nach Ankona zurück, wir aßen da schon Birnen, der Weitzen ist bald zeitig über in Ankona Montag den 3-ten Juni las unser Herr Kopprator in Dom die heilige Messe, waren in einer 2-ten Messe [4v] um 9 Uhr fort, sind wieder 3 große Tunel, und ganz gebirgige Gegend, mit schlechten Getreidbau, etwas mehr Wein. Station Foligno Aussteig.

Ankumft in Assisi um 4 Uhr Nachmittag gingen zuerst gleich in neben der Eisenbahn in die Portiunkulakirche; in der großen Kirche das kleine Kirchlein Maria von Engeln, wo der heilige Franziskus den heiligen Ablaß für alle Sünder welche dieses Kirchlein mit Andacht besuchen, dan den Garten wo der heilige Franziskus in noch bestehenden Rosendornen sich bei Versuchungen gewälzet daß er blutete, welche Rosenstöcke seit der Zeit keine Rosen mehr tragen, man sieht noch die Blutstropfen an den [5r] Blättern. Dan gingen wir den Berg hinauf in die Stadt, in das Kloster der Klarisinern, wo wir gute Aufnahme und gut bewihrtet wurden, mit Kirschen Fleisch Gebakkenen und Wein Nachtquartir in Privathäusern.

Des andern Tags 4 Juni schönes Wetter gingen in der Früh gleich in die Franziskuskirche wo unser Herr Kopprator die hl. Messe laß. dan Kaffe im Kloster. Aldan fort in das Wohnhaus des heiligen Franziskus wo ihn sein Vater verstoßen hat; dan ehmaliges Kloster der heiligen Klara, wo wir noch die Pforte sahen und die Vorstelung wo die heilige Klara mit den heiligen Sakrament den Sarazenen entgegentrat, als sie das Kloster stürmen [5v] wolten, und sie zurückstürzten, da wohnen jetzt Franziskaner wir sahen den namlichen Tabernakel wo damals das heilige Sakrament verborgen war, auch noch die Abbildung wo die heilige Klara wunderbar durch ihr Gebeth das Brod vermehrte, und noch solches Brod; ein wunderwirkendes Kruzüfix. Dan die Kirche der heiligen Klara, ihr unverweslicher Leib; das ehmalige Grab der heiligen Klara ganz offen und den Dekel dabei wo sie erhoben ward ganz unterirdisch unter der Kirche. In der Franziskuskirche 3 Kirchen aufeinander wo wir in der unterirdischen Kirche die heilige Messe hatten, wo man auch bei hellen Tage nicht ohne Licht lesen kan. So [6r] viele Altäre daß ich sie nicht zählen konte, in St. Dorian[10] Kirche sahen wir auch noch den Chor, wo die heilige Klara in den Chor ging, die nämlichen Chorstühle ganz uralt wurmstichich und das nämliche Buch, aus welchen sie das Brevir bettete ganz alt, aussehend, nachmittag nochmal in die Franziskußkirche, das Grab und h. des heiligen Franziskus, gingen dan ins Kloster zurück zum Abendessen und in unser Nacht-Quatir.

Andern Tags 5 Uhr den 5-ten Juni überzogener Himel, die heilige Messe, dan Kaffe im Kloster dan 1/2 Stund zur Bahn von Berg herab zu gehn zur Eisenbahn um 6 Uhr Abgang Station Spoletto langer Tunel. Wir kamen um 11 Uhr auf die Tiber, wo die päpstliche [6v] Grenze ist; vorher mußten wir schon die Pässe abgeben; Es sind da theils die schönsten Weizenfelder; theils Weinberge, theils Viehweiden, theils die schönsten Wiesen, wo das Heu in großen Schöbern, unzählbar dicht nebeneinander stand. Tiberthal ist ein schönes weites Thal; Station heraußerhalb Rom, bekomen wir unserr Päße wieder; da sahen wir gleich auch den ersten Weizen schneiden, viele Leute in einen Aker beieinander und gleich in Garben binden und in lange Reihen neben herum Hafen legen. Auch Flachsraufen in kleine Bischel zusambinden wie man bei uns in Ofen hinein, und auf den Feld in wurde Pallifaden zusamenstellen ist ganz gelb und sehr lang. Die schönsten Wein-[7r]berge; ganze Herrden Schaffe Perde und Gänse auf der Weide und den abgehirteten Wiesen und den abgeäneten Feldern.

Kamen um 3 Uhr nach Rom wo wir uns 1/2 Stunde in die Stadt fahren ließen in die Delamica[11] kostet jeden einen Franken, da war schon alles überfült, das sagten uns schon einige Österreicher als wir ankomen. Wir ruhten da eine Stunde aus, dan erkundigte sich der Führer bei St. Trinitar[12] dort bekomen wir Nachtquatir und Essen mußten auch das übergebliebene mitnehmen wurde zuvor der Rosenkranz auf lateinisch gebetet, auch die lauretanische Litanei, und jeden die Füße gewaschen. Wir waren in einen Schlafsal

[10] Damian

[11] (S. Maria) dell' Anima

[12] St. Trinitas

wo 84 Betten waren, und hätten noch so viel [7v] Platz gehabt; es branten 3 Latern die ganze Nacht.

Wir kamen auch in diesen Tag am 6 Juni in die Jesuiterkirche, in St. Peters-Kirche; sie ist prächtig gezirt in der Mitte die unterirdische Kapelle Peter und Paul welche wir nur den hinabgang sahen der von Gold und Silber strozt und unzählbarenden brenenden Lichter und Anpeln. Dan die Delamina sie ist in Rundel gebaut und die Altäre rund herum nicht gar groß aber schön; die Kirche Änastasia[13], die der Jesuiten besuchten wieder um 10 Uhr wo am Hochaltar das Bild des heiligen Joseph ganz von unzähligen Lichtern ungeben bei heiligen Chormessen. Abends wieder zur St. Trinitas, [8r] zum Nachtlager und Abenessen wo wir vor den Essen zum Rosenkranz; und der Litanei lateinisch beten mußten. Wir mußten alles Essen was wir überließen wieder mitnehmen, wo wir des andern Tags noch zu essen hatten; gingen wieder in der Früh zu Delamina zur Messe dan zur Augustinerkirche in mehrere kleine Kirchen. der Kaffe kostet in der Früh allemal 2 Sold ein 5 Frankenstük.

Den 7-ten Juni ein heißer Tag wo wir des Mittags eine Zeitlang ruhen mußten, den 8-ten Juni wieder recht heiß in der Früh in die Delamina mehrere heilige Messen dan gingen wir zum deutschen Bäker von Bamberg wo wir unser Gepäke unterbrachten und zur Wasche gaben. Nachmittag kamen [8v] wir in die Kirche Maria Schne und römische Alterthümer noch da 2 Nächte das Essen bei Trinitati.

Pfingstag in der Früh nach St. Peter wo wir wieder beichten konten bein deutschen Beichtvater, es hate ein jede Nation ihre eigenen Beichtstuhl, da waren viele heilige Messen und Ämter und zwar Leviteramter. Der Papst selbst konte nicht das Hochamt haben er war unpäßlich, wir den Segen auch nicht von ihm erhalten. Nachmittag wir wieder mehrr Kirchen kamen auch in eine wo gerade die Vesper war aber kein Segen. Auf den Balkon des Petersplatzes sind 140 heilige Statuen aufgestelt in wahrer Größe, herunten wo man über die 25 Stafeln zur Kirche hinauf steigt, sind [9r] die 2 Apostel Peter und Paul auf beiten Seiten des Eingangs in Riesengröße, ober der hohen Pforte des Tempel Jesus mit dem heiligen Kreuz, und die 12 Apostel. die Kirche selbst hat bei 300 Schritt in der

[13] Anastasia

Länge 200 in der Schrit Breite. der Vorhof hat 200 Schritt in der Länge 2 andere Vorhöfe wieder 200 Schritt. Abends wieder nach St. Trinitas zum Nachtessen in der Früh am Pfingstag nach St. Peter, dan nach St. Spiritus ein Prälaten-Amt, mit vielen heiligen Messen gefeiert ward; aber zu Mittag war ich ganz allein, hätte bald nicht mehr zum deutschen Bäker hingefunden, dan nach dem Essen wieder nach St. Peter wo ich die andern wieder alle [9v] antraf, den gingen wir auf den vatikanischen Hiegel wo Petrus gekreuziget ward, wo wir uns noch eine Erde von der Vertiefung wo das Kreuz stand, von einem Frater herausheben ließen, und in Papir mitnahmen, dan in die Kirche des heiligen Franzikus und Antanius wo viele heilige Reliquien sind bei 1600.

Dan in die ältere Marienkirche der Welt wo gerade gebaut wurde, wo die 10 Jungfrauen mit ihren Lampen außen angebracht sind, in der Kirche ein wunderschönes Marienbild, und Jesus der gute Hirt. dan auf der Tiberinsel die St. Bartholomäuskirche, die sehr schön ist, und viele Reliquilien hat. Die St. Spirituskirche ist sehr schön gewesen in den Pfingstagen 18 gläßern [10r] Ampeln eine jede mit 8 Kerzen brenende, der Hochaltar mit unzähligen Lichtern und bei 20 Altären überall viele Lichter Ampeln brenend, der höhe Boden mit Gold belegt. die Seitenwände goldgestickten rothseidenden Fahnenzeuch ganz überzogen, Abends wieder in die Trinitas zum Essen, und Quatir. Am Pfingstdinstag un 4 Uhr in St. Pauluskirche, wohin wir eine halbe Stunde zu gehen hatten, wo der Herr Koprator die die heilige Messe laß; ist eine große Kirche aber nicht so schön gezirt, wie in der Stadt die Haupt-Kirche; dan noch St. Sebastian wohin wir wieder eine halbe Stunde zu gehen hatten, da sahen wir wieder das Grabmahl des heiligen Sebastian. Die Konkakumben[14] unterirdisch wo wir mit Lichtern [10v] hinabgehen mußten, so tief das es einem schaudern möchte in den engen Gängen. da sahen wir wieder die Altäre wo die Christen zur Zeit der Verfolgung ihre Gottesdienste hielten. das Grab der heiligen Zezilia. das Grab des heiligen Maximus und viele Grabstädte der heiligen Päpste von Rom.

Dan zur Kirche Johanes von Lateran dieß ist die älteste Kirche von Rom, wir hatten 2 Stunden zu gehen, sie ist eine der schönsten

---

[14] Katakomben

Kirchen Romms, da war gerade das Hochamt aus, es war noch der Chor und die Prozession in der Kirche, die vielen Paters und Studenten. Es war 12 Uhr wir machten dan Mittag. Nach den Essen führte uns der deutsche Beichtvater in der Kirche herum und sagte uns, daß diese Kirche eingeweiht sei des allerheiligsten [11r] Erlösers, und des heiligen Johanes des Täufers und des heiligen Johanes, des Apostels Evangelisten. Es seÿ auf den Gruftaltar, die Häupter der heiligen Apostel, Peter und Paul, dan auf den andern Altar das Haupt; Johanes des Täufers, und die Ketten des heiligen Johanes Apostel, wie er geschloßen von Ephesus nach Rom vor die Lateinische Pforte gestellt ward. der hölzerne Altar auf welchen der heilige Apostel Petrus Messe gelesen hat; wo nur der Papst Messe ließt; auch den Eingang wo der Papst am Pallmsontag eingeht, und in seinen eigenen Beichtstuhl Beicht hört. Am Ostertag werden dan die vielen Reliquien gezeigt; am Himelfahrtstag gibt hir an den Balkon ober den [11v] Vorhof den Segen über die ganze Christenheit, welch ein Jubel. Diese Kirche war vor der Wohnung zu Avigna[15] die meiste Kirche in Rom, wo der Papst seinen Sitz und Resiedenz hatte, erst darnach wurder in St. Peter errichtet.

Dan gingen wir nach heiligen Kreuz, welche die Kaiserin Helena erbaut, und ein großer Theil des hl. Kreuzes hirr aufgestellt hat. Auf den Altar der heiligen Helena wo vile Reliquien von Jerusalem, von der Dorenkrone die hl. Nägel. des hl. Rockes christi das heilige Kreuz und viele Reliquien. darf nur mit Erlaubnis des Papstes ein anderer Priester Messe lesen. dan gingen wir in die St. Laurenziuskirche wo das Grab des hl. Laurenzius und die Reliquien des hl. Stepfanus in der unterirdischen Kapelle [12r] ruhen, diese Kirche wird zur Zeit gerade renevirt, Auch der Gottesacker hir ist ungein groß, mit der Gottesackerkirche, den vielen Famielen Gruften, auch sind noch viele Reliquien der Martirer hir. dan gingen wir in die große Marienkirche welche eine der 7 Hauptkirchen ist und überaus schön. dan gingen wir in die Trinitas zum schlafen essen keines mehr.

Den 12-ten Juni in Peter-Kirche, wo die Kardinäle ein Konsistorian hatten, zuvor ein Levitenamt. Abends 5 Uhr in die Antonius Kirche wo die Vesper über eine Stund dauerte, war ein überaus

[15] Avignon

prächtiger Gesang. Sie hielt ein Bischof, weil an Donerstag den 13 Juni das Fest heiligen Antonius war, wo wir ebenfalls [12v] gleich Morgens diese Kirche wieder besuchten; dan in die Kirche St. Viktoria J. Susana J. in die Kapuziner Kirche in ssen Kloster der General der Kapuziner ist, in die Jesuiterkirche wo der heilige Leib des heilgen Franz Borgias, und Stanißlaus Kostkaud[16], viel Reliquien der Heiligen. Nachmittag hielt ich mich in der St. Trinitaskirche auf betrachtete dieselbe für mich allein; that den Brief auf die Post und kam von den andern Kanerraden weg; und Stepfanus, in Mitte der Kirche unterirdisch ist. Dieß ist eine schöne Kirche, auf den Hochaltar zählte ich 100 Kerzen, von unten bis oben 14 Öllanpen 16 gläßerne Anpeln, jede mit 8 Kerzen 9 Altäre; Am Abend kamer wir wieder [13r] zusamen, wir sind immer noch da, wo das Nachtquatir nichts kostet, kein Essen aber nicht mehr.

Den 14-ten Juni früh in die Franziskanerkirche mit 24 Altären, dan in die hl. Kreuzkirche wieder wo wir die heilige Stige abeteten welche von Herr Plati[17] hieher kam; oben in der hl. Kapelle die Reliquien von der Krippe des Herrn, und die Geiselsäule, der Finger des heiligen Thomas, womit er die Wundmale Jesu berührte, dan 2 Dörner von der Krone, und die Überschrift des hl. Kreuzes dan ein großer Theil des hl. Kreuzes selbst. das Angesicht des Herr Jesu wie es der heilige Lukas gemalt hat. was selten zu sehen ist. dan in Johan Lateran die beiden heiligen Kappelen Johanes des Täufers, [13v] und des Evangelisten, und Reliquien des hl. Ziprian Justina und mehrere Heiligen; dan die St. Klemens-Kirche wo der Leib des hl. Klems[18] des hl. Ignatius Martyrers und viele Reliquien der hl. Martyrer sind, in der unterirdischen Kirche, nicht weit davon das Anphiteater wo die Behälter für die wilden Thire waren, welche auf die Heilgen losgelassen wurden, ein großes altrömisches Riesengebäude himelhoch und weit ungedekt, jetzt der heilige Kreuzweg inwendig herum angebracht. Auf den St. Lateran Plaze die himelhohe Säule von ganzen Stein, wo der heilige Konstantin getauft ward, aus Egyten gekomen von heiligen Konstantin daselbst aufgestelt, schon lange

---

[16] Kostka

[17] Pilatus

[18] Klemens

vor Christi [14r] Geburt in Rom aber auf einen andern Platz, und tief unter einen Schuthaufen vergraben.

Den 15 in St. Peter in die Kirche. Nachmittag in die hlil. Geist Kirche wo ausgesetzt war den ganzen Tag. dan abends zur Trinitas wo feierliche Vesper ward; branten gern bei 300 Lichter in der Kirche.

Den 16-ten in der Früh in St. Trinitas zur Kirche die hl. Messen dauerten von 5 Uhr bis 12 Uhr auf den 9 Altären um 10 Uhr das Hochamt, welches ein Bischof hilt, war wieder beleuchtet wie Tags vorher; und bekamen von Ordens-General jeder eine Medalle mit der Münzle Mariens auf der ander Seite der heilige Alisius; dan nach St. Augustinerkirche zu einem Amt; dan zu Mittag; Nach-[14v]mittag ruhten wir.

Den 19-ten Juni gingen wir nach St. Peter, Nachmittag St. zu Agnes wo eine Stunde hinaus ist, sehr schön ist ihre Lebensgeschichte vorgestelt und ihre Gebeine unter den Gruftaltar. Wo auch 1855 der heilige Vater samt vielen Kardinälen und andern hohen Standes-Personen in Kollegiom, durchgebrochen ist, aber durch die Fürbitte der hl. Agnes wunderbar gerettet wurden; Abends regnete es ein wenig.

Den 20-ten Juni, am Frohnleichnamtag in St. Peter die Prozession dauerte 2 Stunden, danach Hochamt. Abends nach 6 Uhr in die Pfarkirche St. Laurenziuskirche wieder Prozesson auf den spanischen Platz wobei die Geistlichen alle mit Meß-[15r]gewändern angethan waren, die den Himel trugen ganz weiß gekleidt, vorn etliche mit Rauchmänteln. Ich konte der ganzen Prozeßion beiwohnen von aus Kirche bis zum Einzug gleich hinter den Himel hergehen, lesen und bethen. Es wurde auch Musick gespielt mit Tromel, was Vormittag nicht so viel war. Als die Kirche aus war, war es ganz Nacht.

21 Juni Aloisiustag waren wir in den Römischen Köllegium wo das Fest des hl. Aloisius gefeiert ward, und Generalkomomion der Studenten. Maria Minerva. Nachmittag besuchten wir die Kirche der Daminikanerinen welche gerade den Chor hilten bei ausgesetzten Hochwürdigsten Gute und ganz freundlich uns verabschiedeten. [15v] Dan die Kirche wo der Heilige Laurenzius gemartert, und wo noch der Backofen zu sehen ist wo der Hl. auf den Rost gebraten wurde; die Kirche der Dominikaner die

Apostelkirche, noch mehr andere deren Namen ich bereits nicht weiß. Abends wieder in die Aoisiuskirche in die Vesper wo der Altar des hl. Aoilisus mit unzähligen Ampeln und Kerzenlichter beleuchtet ward.

22 Juni nach St. Peter in den Thurm, da war hoch hinauf, ich habe gemeint wir seÿen schon oben, da hatten wir erst die Höhe der Kirche, da konten wir auf der Kirche herumgehen, unter ofnen Himel auf lautern Pflaster es ist alles aneinander gekikt das es nicht durchregnen kan, wir [16r] konten auf den Platz berabschauen, wir konten auch in die Kirche herabsehn mitten auf den Altar Petri und Paul, und um denselben herum von einer Weite wie unsere Kirche weit ist; als dan ging es erst in die Kuppel hinauf über 300 Stufl. oben konten wir auswendig un die Kuppel herum gehen 70 Schritte im Umkreis, ein Geländer herum, wir konten die ganze Stadt übersehen auf allen Seiten, bis gegen den Meer hinaus. Als wir herab kamen gingen wir noch in die Mosaik Arbeiter Anstalt. dan in die Bildergallerie alles in den Pallast Gebäuden des Papstes, wir konten auch die päpstlichen Gärten betrachten, durch die Fenster. Es waren [16v] die Forilien alle in Bild dargestellt. Mittag regtte es. Nachmittag kamen wir die Kirche St. Pantaleon und Joseph Kalasenszier[19], dan in die Anderas-Kirche, und Französche Kirche.

Sontag 23 Juni in der Delamina deutsche Predigt von Bischof von Mainz, dan Levitenamt. Nachmittag besuchten wir den Lateran, auf den Weg davon abwärts Stefane Roturda[20], wo in der Runde herum die Martyrergeschichte vieler Heiligen Martyrer abgebildet sind, wir kanten nicht genug schauen wie einige von wilden Thieren zerrißen andere auf den Scheiterhaufen verbrant wurden in gliehende Achsen geworfen von Schlangen zerbissen, in Öhl gesotten, verstimelt gekreuzigt geschunden enthauptet lebendig begraben gesteinigt [17r] wie der hl. Stepfanus und voran Jesus Christus wie er gekreuziget ward. dan in Lateran selbst war Prozession am Abend mit Militärmusik und Ordensgeistlichen aller Orden; wir konten das Ende nicht abwarten es war finster.

24 Juni Johanestag wider nach Lateran wo der heilge Vater hin-

---

[19] von Kalasanz

[20] Stefano Rotondo

kam, und wir öfters den Segen von ihm erhielten, es war das Hochamt von einen Kardinal gehalten. der heilige Vater war anwesend in seÿnen Tronseßel es auch das Haupt Johanes des Täufers aufgesetzt[21]. Nachmittag gingen wir zur Kirche Pladina[22] wo ein Stück von der Geiselsäule unsern Herrn zu sehen ist; dan in die Redempteristen-[17v]Kirche, wo Prozession gehalten ward mit prächtiger Musick.

25 Juni in die dell Arnia[23] in Kirche wo viele hl. Messen waren. Es regnete den ganzen Tag hatte imer Gewitter. Wir gingen ins Quirinal den Somerpalast des Papstes sahen so viele Zimer von feinsten Marmor von allerhand Farben Fußboden und Wände, den Thronseßel des Papstes Schlafzimer und alle Zimer mit Geschichten der Heiligen des alten und des neuen Testamentes; dan die Gärten wo einer in den andern mit Buchsbaum Wänden haushoch Loberbäume und Blumen aller Art, springende Wasserbeken mehrer auch Orckl Musick.

Den 26 Juni gingen wir in die St. Johanes und Paulkirche [18r] das Fest gefeiert ward. Es ist da in Mitte der Kirche der Platz, wo die hl. Martyrer gemartert wurden, geziert, an diesen Tage auf den Choraltar die Gebeine der Heiligen, wo imer Bischöfe Messe lasen, dan um 10 Uhr hilt ein Bischof ein Levitenamt. In einer Seiten-Kapelle die Reliquien des Stifters der Pasionisten auch oben in einer Kapelle welches früher seine Zelt ward. Nachmittag brachten wir unsere Rosenkränze zum weihen. Am Abend gingen wir ins Bolisäum[24] wo Beleuchtung war mit begalischen Feuer.

27 Juni in die Trinitas Kirche zu den hl. Messen. darnach nach St. Peter; auch Nachmittag wieder nach St. Peter. [18v] wo um 5 Uhr feierliche Prozession ward zum Schluß der Ocktav. Es war vieles Militär und mehr Leute dabei als am Frohnleichnamfest selbst.

28 Juni zur Trinitas, in heilige Messen, dan nach den Kollegium und Kirche des heligen Ignatius wo das Herz Jesufest gefeiert ward

---

[21] ausgestellt

[22] S. Prassede

[23] Dell' Anima

[24] Colosseum

mit solenden[25] Hochamt. Am Abend war in St. Peter Beleuchtung der Kirche, außerhalb der Kirche um die ganze Stadt.

Am 29 Juni in St. Peter Prossion; dan Heiligsprechung und Hochamt wo die ganze Kirche inerhalb mit unzähligen Lichtern beleuchtet ward. Nachmittag gingen wir in die Kirche zu den Ketten des heiligen Petrus, wo auch unterirdisch der Kerker wo die Apostel gefangen waren, wie auch wieder zu einer Kirche wo Petrus und Paulus und Lukas [19r] gefangen war; und viele Reliquien der Heiligen aufbewahrt sind. Abends war der Platz Maria Popolo mit großartigen Feuerwerk beleuchtet mit Kononen geschoßen und die ganze Stadt beleuchtet.

30 Juni nach St. Paul hinaus, auf den Weg dahin in St. Alexius Kirche, wo der heilige Alexius unter der Stiege ruht mit den Brief in der Hand. Auch ein Brunen in der Kirche tief und gutes Wasser, dan zuerst nach St. Paul wo er enthauptet ward, in der Kirche noch 3 Brunen welche entsprungen sind bei seiner Enthauptung, wo wir tranken; dan gingen wir zurück nach der großen St. Paulus Kirche, wo der Papst ankam und dan ein Hochamt 10 Uhr von einen Kardinal gehalten ward wo wir eine Stunde nach Haus hatten.

[19v] Nachmittag nach St. Praxeda wo Litanei war und Maria Magiorn[26].

1. Juli nach der Kirche des Kardinal Reisach St. Karblous Boronäus[27] wo das Fest des heiligen Paulus gefeiert ward mit einen grichischen Hochamt. dan für den Kardinal selbst wo wir Dank sagten, und Abschid nahmen. Nachmittag gingen wir nach St. Peter zum beichten, sahen auch den Stuhl des hl. Petrus welcher auf einen Altar ausgesetzt war; wo wier unßere Rosenkränze und Medallien berührn ließen welches nur ein Geistlicher thun konte. Als wir Abends heingingen sahen wir bei der Engelsburg einen Luftballon aufsteigen. Einer von unsern Kameraden wurde krank.

2. Juli in die Trinitaskirche wo unser [20r] Herr Koprator die heilige Messe laß und wir zu der hl. Komonion gingen. dan nach der Augustnuskirche[28] wo ein berühmtes Mutergottes Bild, verehrt

---

[25] solennen

[26] Maggiore

[27] Karl Borromäus

[28] S. Agostino

wurde wo bei ausgesetzten Hochwürdigsten Gute mehrere Meßn waren.

3. Juli in der Früh noch in St. Trinitas, aus wir herkamen regnete es. da gingen wir noch zu den Kalixtinischen Katakunben hinaus; es war eine 1/2 Stunde hinaus, da mußten wir 1/2 Stunde unterirdisch herumgehen mit brenden Lichtern, wo wir die Begräbnißstätte der Martÿrer, die Altäre der Verfolgungszeit in dunkeln Grüften ganz schwarz wie die Backöfen aussahen, ganz berühmt die Gruft der hl. Priszilla und des heiligen Korrilius[29]; Auf der Höhe waren Weinberge darüber geflanzt, es ist tiefer als haushoch unter der Erde. [20v] Es war würklich schauerlich, ganz kalt stockfinster, und die Gänge manchmal so eng daß kaum 2 Mann füreinander konten. Nachmittag in St. Peter wo wir Abschied nahmen, Abends noch eine feierliche Vesper beiwohnten.

Den 4 Juli in Trinitas zu den hl. Messen. dan wolten wir fort auf der Eisenbahn, und war der Zug verspätet, da mußten wir bis 2 Uhr warten, dan gings fort; Um 5 Uhr Abends kamen wir nach Civita Vechia; da gingen wir zu Schiff; mußten bis Livorno eine Franken zahlen; In der Nacht mußten wir auf den Schiffe, auf harten Boden schlafen, um 10 Uhr schifften wir aus, mußten Franken zahlen, gingen in die Domkirche da laß unser Herr Kaprator Messe, gingen in ein [21r] Gasthaus, und da kostete das Essen einen 2 Franken mit Suppe 3 Eier und ein Brod ohne Wein; um 7 Uhr Abends ging das Schiff wieder ab von Livorno, wir mußten wieder auf den Schiffe übernachten; das war eine böse Nacht, wir mußen die meisten speien wegen den vielen schwanken des Schiffes; in der Früh wurde das Schiff ausgewaschen, da hatten wir keine Ruhe mehr, wir mußten hin und her wie von Pontius zu Pilatus bis in Genua ankamen, wo wir wieder für das ausschiffen 1 Franken zahlen mußten, dan zur Berräucherung unserer Kleidung von 8 Uhr bis 11 Uhr in derselben Wohnung bleiben mußten, bis wir wieder heraus kamen, und dan wieder auf die andern Seite der Stadt, hinüber [21v] schiffen mußten, wo wir wieder 1/2 Franken zahlen mußten, dan auf das Mauthaus, und unsere Päße vorlegen, und wer viel hatte Mauth zahlen mußte 2 bis 3 Franken. Der Eisenbahnzug ging um 12 Uhr fort, und war

---

[29] Kornelius

verspätet; mußten also bis 6 Uhr Abends warten. dan ging der Zug fort, es waren die schönsten Weinberge, und Fruchtbäume in diesen Gebirgthahle von Genua, auch ein großer Gebirgbach der aber beinahe ausgetrocknet war. Die Dächer von waren die meisten mit Schiefeln gedeckt. Es bekam einer von den besten Kameraden die Geisteskrankheit. Wir hatten auch vielen Tunell besonders einen recht langen. Es war schon beinahe alles Getreide abgearbeitet bis auf [22r] den Mais, der gerade in der Blühte war. Wir kamen um 8 Uhr in Alexandria an, war ein großer Bahnhof, da nach Valenza, dan nach Porvia[30] und endlich Mailand wo wir um 12 Uhr Nachts ankamen.

Den 7. Juli in der Früh in den Dom, und mehrere Messen hörten. Der Dom hat inwendig 36 Säulen, es regnete sehr stark, um 10 Uhr mußten wir abfahren mit dem Zug. Es ist dieses eine wunderschöne Gegend ganz eben weit und breit, mit Weinstöcken und Fruchtbäumen und Feldern mit Mais und Reis bepflanzt. Um 12 Uhr kamen wir am Lichtenauer See[31] an, und fuhren denselben hinauf bis 8 Uhr Abends es sind 18 Stunden bis 20. Es sind die schönsten Flecken und Stationen auf beiten Seiten, die höchsten Berge herunter hinauf mit Wein bepflanzt; Als wir ausstigen war [22v] es bereits Nacht.

Wir waren bis 12 Uhr vor einen Kaffehaus versammelt, bis wir mit den Fuhrman einig werden konten mit der Fahrt über den Gotthardberg bis auf Wirwäldstädte See, ein Man 20 1/2 Franken zahlen zahlen mußte, dan 11 Uhr Nachts fort, in der Früh um 5 Uhr wurde Halt gemacht, in einen kleinen Dorfe auf der Post, wo dan wir in der Kirche den heiligen Messen beiwohnten und frühstickten, dan ging es weiter neben den Tessia[32] hinauf zwischen hohen Gebirgen, das wir öfters absteigen mußten; es sind da ganz kleine Äckerl und Wiesen, mit Gärten, die Thalschlucht ist zu eng, an beiden Seiten Gebirge Viehweiden hinauf, vornlie hohe Berge schaut oft der Schne herunter, es gibt auch Kirschbäume Wallneßbäume [23r] Birnbäume Weinberge und andere unbekannte Fruchtbäume, kamen Mittag auf eine Poststation, machten Mittag wo wir gut bewirtet wurden, es wurde wieder ganz deutsch gesprochen, wie wirs konten, o wie gut

---

30 Pavia

31 Lago Maggiore

32 Tessin

ist es, wieder in der Schweitz zu sein, bei deutschen Läuten mit Aufrichtigkeit und Religion, wir fuhren dan weiter den Gotthardsberg hinan mußten aber bald absteigen, der Weg ging himmelhoch hinauf, die Straße ging dann gen 60 mal in Schnecken hin und her bis wir um 4 Uhr an Gotthard bei den Hospietz ankamen; Es sind lauter Viehweiden mit Somerhütten hinauf, auch in den Schluchten und auf den höchsten Spitzen noch viel Schne, auch ber der Straße in Schluchten des Tessir wo er oft auch halb Manstief lag; als wir den Gotthardberg ankamen ging es schneid-[23v]enter Wind, fiel auf einmal Nebel ein, und fing zu schneien an, ich ging ins Gasthaus aß Käs und Butter 2 Virting 8 Soldi fuhren dan hinab neben einen Fluß, wo es zimlich stark regnete, imer wieder in Schnecken herum bis wir in die Postanstalt ankamen um 8 Uhr wo wir übernachteten wieder vortreflich.

In der Früh laß der Herr Kopator Messe dan Kaffe um 6 Uhr fort, wo wir noch 3 Stunden auf See hatten, die Gegend war imer schöner, das Thal imer weiter, mit vielen Obstbäumen Nußbäumen und Kirschbäumen, schöne Wiesen, kleine fruchtbare Äkerl; um 8 Uhr kamen wir an See an, die Ortschaft heißt Flügen. Auf den See ging ein sehr kalter Wind, obgleich die Sone scheinte, auf einer Seite des Sees ging die Straße gleichsam an einer [24r] Steinwand hin; doch mehrere Tunel durch von Süden und Westseite, die Gebirge in der Höhe mit Schne bedeckt, Um 8 Uhr kamen wir bei Bremmen an, gingen 1 Stunde weit nach Schweitz wo ein Festschießen war. Dan nach Einsiedeln wo wir 5 Stunden noch hin hatten, und gingen um eine Stunde über den Berg hinüber kamen um 5 Uhr angekomen.

10 Juli bliben wir in Einsiedeln bis 9 Uhr; kauften uns Rosenkränze Medallen und Bilder, ließen sie weihen. Fuhren dan fort nach Richterwil wo wir 3 Stunden hin hatten, und 7 Franken bezahlten, begaben uns auf den Zirchersee nach Staufen über den See entlang nach Zürich. Es kostet wieder 30 Zentina. Es sind die schönsten Ortschaften Margflecken auf beiden Seiten des Sees mit Weinbergen und Obstgärten. Un 1 Uhr kamen wir nach [24v] Zirich hielten 1 1/2 Stunden an dan fort nach Winterthur Ankunft um 1/2 4 Uhr ist eine schöne Stadt hinter Obstgärten und Weinbergen versteckt; auch die schönsten Wiesen und Felder. Station Wyl eine schöne Ebene, mit Getreid und Obstbäumen in den Feldern Weizten Haber hat noch nicht geschoßt, den schönen Klee, und schöne Wiesen. Um 6 Uhr

nach Station Gallen 1/2 7 Uhr in Rorschach am Bodensee kostete 5 1/4 Franken von Zürich hieher. Endlich ging es über den Bodensee Baiern zu, kostet 30 Fr. henseits des See in Lindau übernacht, in der Früh Uhr fort; Bei Lindau gibt es auch Weinberge die schönsten, und Obstbäum genug. die Fahrt von Augsburg bis Lindau kostet 3 fl 30 Se.

[25r] Ankunft in Kempten 9 Uhr eine schöne Wiesgegend Torfgründe Algäue Alpen 11 Uhr Ankunft in Kaufbaiern bliben einige hier, ist eine schöne Ebene, mit schönen Feldern und Wiesen. Ankunft in Augsburg um 1/2 Uhr. Ich blieb in der Domkirche betrachtete die Altäre sie ist prachtvoll neu gothisch renoviert mit 20 Altären.

Den 16 Juni Nachmittag hab ich übersehen im Abschreiben, und muß unn jetzt das übersehene am Ende noch hersetzen. da gingen wir zu St. Gregoriuskirche, wo die Religuien des heiligen, und ein Angesicht der Mutter-Gottes zu sehen ist, welches den Heiligen erschinen sein soll; zu einer andern Kirche wo der hl blieb, den seeligen Leonhard von Porto Mauritio, noch [25v] ganz unvesen zu sehen ist, ein Man bei 60 Jahren noch Har und Bart zu sehen, ward heuer heilig gesprochen. Abends zur Trinitas in die Vesper um 7 Uhr, wie Tags vorher.

Den 17 Juni in der früh ein Wetter mit wenig Regen, als wir in Jesuiter-Kollegion der Zelle des heiligen Alisius waren, es sind mehrere Kaprellen da wo unser Herr Koprator Messe laß; und wir noch 3 hl. Messen beiwohnten; wir betrachteten alsdan die Reliquien des hli Aliesius[33], Biecher und der gleichen. Es sind 140 Staffeln zu dieser Zelle hinauf. dan die Kirche der hl. Katharina von Siena, ihre hl. Gebeine; die Kirche der heiligen Abdon un Semen[34], und die Kirche des hl. Papstes Markus. [26r] Nachmittag gingen wir nochmal in das Jesuiten Kollegiom wo wir noch viele heilige Reliquien, und andere Heiligthümer zu sehen bekamen. Es sind mehrere Tafeln gefaßt, wo auf alle Tage des Kirchen Jahres die Reliquien eingeschloßen sind. Dan heilige Jugendliche Figuren in Wachs zumal Martyrer inwendig die Gebeine in sich enthaltend, einer erst 5 1/2 Jahr alt. Die

---

[33] Aloisius

[34] Sennen

Zelle des seligen Johanes Berchman und seine hl. Reliquien, die Zelle des Heiligen Ignatius. Dan in das Pantheon oder aller Heiligen, ganz rund, das Licht von oben wo es offen ist, und 62 Schritt lang und weit, und keine Säule.

den 18 Juni wieder in die Jesuiter-Kirche, wo der Herr Koprator in der Kapelle des hl. Jgnatius, wo er früher gelebt hatte, Messe laß; [26v] Wir sahen dieselbe Figur in Wachs, wie er bei Lebzeiten gewesen ist. Zum Schluße noch die Namen der Reisegesellschaft:

Balthasar Falter von der Kumpfmühl,
Johan Obermeier von Rosenheim,
Georg Dresch von Ingolstadt,
Anton Reischl bei Ingolstadt,
Peter Paul Käs von Kaufbäuern,
Michael Gatterman von Reichsdorf bei Schärding,
Bartholomäus Kein von Frauenhaslach bei Neumarkt,
Michael Huber von Wasserburg,
Alois Fischbacher von Fischbach
Johan Härtl von Traunstein,
Franz Xaver Stettmer von Wolkerstorf,
Mathias Neuhauser von Nußdorf, [27r]
Paner Jakob. Höringer Klemens von Verdenfels,
Hirander Joseph Herr Koprator von Traunstein.

Rosina Falter von der Kumpfmühl 1868.

Ant. Urban, Cooperator in Schwarzach
dieses Büchlein gelesen den 8-ten August 1868.

Bibliographie

Dr. August Scharnagl

A. Bücher

1. Franz Xaver Sterkel, ein Beitrag zur Musikgeschichte Mainfrankens, Würzburg 1943, Triltsch.
2. Einführung in die katholische Kirchenmusik, Wilhelmshaven 1980, Heinrichshofen's Verlag.

B. Aufsätze in Sammelwerken, Festschriften Zeitschriften, Jahresberichten und Programmen

3. Fränkische Musik der Vergangenheit – Musikgeschichte im Spiegel einer Landschaft, in: Musica V, 1953, S. 211.
4. Aurelius Augustinus' de Musica, in: Musica VIII, 1954, S. 481.
5. Die katholische Kirchenmusik in Bayern, in: Katalog Bayerische Frömmigkeit, München 1960, Schnell & Steiner.
6. Rogenberger Wallfahrtlieder des P. Balthasar Regler, in: Jahresbericht des histor. Vereins f. Straubing u. Umgebung, 64. Jg. 1961, S. 112.
7. Die Musik der Aventinus-Zeit, in: Aventinus und seine Zeit (1477–1534), Weltenburger Akademie 1977.
8. Die Musikpflege an den kleineren Residenzen.
9. Die katholische Kirchenmusik von der tridentinischen Reform bis zum Abschluß der Regensburger Restauration, in: Musik in Bayern, Bd. I, S. 207 u. S. 261, Schneider Tutzing 1972.
10. Die Pflege der Kirchenmusik, in: Dienen in Liebe – Rudolf Graber Bischof von Regensburg, München–Zürich 1981, Schnell & Steiner.
11. Modulos musicos composuit – Die Musik hat verfertiget, musikgeschichtliche Anmerkungen zu den Schuldramen des Straubinger Jesuitengymnasiums, in: Festschrift zur 350-jahrfeier des Johann-Turmair-Gymnasiums Straubing, Straubing 1981, Attenkofer.
12. Sailer und Proske, Neue Wege der Kirchenmusik, in: Beiträge zur Geschichte des Bistums Regensburg, Bd. 16, 1982.

13. König Garibald, Oper in zwei Aufzügen. Gedichtet von Cäsar Max Heigel. Musik von Mozart, in: Mozart-Jahrbuch 1982, Bärenreiter.

Beiträge zur Musikgeschichte der Stadt Regensburg und der Oberpfalz

14. Die Regensburger Tradition – ein Beitrag zur Geschichte der katholischen Kirchenmusik im 19. Jahrhundert, in: Schriftenreihe des ACV, Bd. 5, Köln 1962.
15. Zur Geschichte des Regensburger Domchors, in: Musicus-Magister, Festgabe für Theobald Schrems, Regensburg 1963, Pustet; desgl. in: Jahresbericht des Musikgymnasiums der Regensburger Domspatzen 1965/66 u. 1966/67.
16. Die Orgeltabulator C 119 der Proske-Musikbibliothek Regensburg, in: Festschrift für Bruno Stäblein, Kassel 1967, Bärenreiter.
17. Domkapellmeister Joseph Schrems, in: Jahresbericht des Musikgymnasiums der Regensburger Domspatzen 1968/70.
18. Beiträge zu einer Musikgeschichte der Opferpfalz, in: Festschrift zum 19. Bayerischen Nordgautag, Weiden 1972.
19. 100 Jahre Regensburger Kirchenmusikschule, in: Schriftenreihe des ACV, Bd. 9, Köln 1974.
20. Beiträge zur Musikgeschichte der Regensburger Domkirche, in: Beiträge zur Geschichte des Bistums Regensburg, Bd. 10, 1976.
21. Scolares-Präbendisten-Domspatzen – Notizen und Anmerkungen zur Geschichte des Regensburger Domchors, in: Festschrift zum 100jährigen Bestehen des Regensburger Domchors, 1976, Bosse Verlag.
22. Musikerziehung im Lebensraum der Kirche – 1000 Jahre Regensburger Domchor (Vortrag beim Festakt am 3. Juli 1976), in: Jahresbericht 1975/76 des Musikgymnasiums der Regensburger Domspatzen.
23. Kirchenmusik und Glocken im Regenburger Dom, in: Regensburger Bistumsblatt 1976, Nr. 32 u. 33;
desgl. in: Unser Dom, München 1976, Schnell & Steiner.
24. Die Proskesche Musiksammlung in der Bischöflichen Zentralbibliothek zu Regensburg, in: Regensburger Beiträge zur Musikwissenschaft, Bd. 1, S. 11, Bosse-Verlag 1976.

25. Franz Xaver Haberl (1840–1910) – Musiker und Musikforscher, in: Festschrift für Ferdinand Haberl, 1977, Bosse-Verlag.
26. Beiträge zur Musikpflege beim Kollegiatsstift St. Johann, in: 850 Jahre Kollegiatsstift St. Johann in Regensburg, München–Zürich 1977, Schnell & Steiner.
27. Zur Musik- und Kulturgeschichte der Stadt Regensburg im 17. Jahrhundert. Die Trauergesänge in den gedruckten Leichenpredigten. Der Musikunterricht am Gymnasium poeticum. Die Ratsdekrete von 1654 und 1664 zur Pflege des Schulgesangs, in: Regensburger Beiträge zur Musikwissenschaft, Bd. 6, S. 313, Bosse-Verlag 1979.
28. Die Proskesche Musiksammlung in der Bischöflichen Zentralbibliothek zu Regensburg, in: Wissenschaftliche Bibliotheken in Regensburg, Wiesbaden 1981, Harrasowitz.

Aufsätze im Kirchenmusikalischen Jahrbuch

29. 1950, 34. Jg. S. 55: Ludovicus Episcopius – eine bio-bibliographische Studie zur Geschichte der Messe im 16. Jahrhundert.
30. 1957, 41. Jg., S. 147: Dr. Carl Proske als Lasso-Forscher.
31. 1958, 42. Jg., S. 81: Geistliche Liederkomponisten des bayerischen Barock.

Aufsätze in »Musica Sacra« – Zeitschrift des ACV

32. 1962, 82. Jg., S. 90: Dr. Carl Proske zum 100. Todestag.
33. 1983, 103. Jg., S. 99: Das kirchenmusikalische Schaffen Griesbachers im Spannungsfeld von Tradition und Fortschritt.

Aufsätze in »Musik in Bayern« – Halbjahresschrift
d. Gesellschaft für Bayerische Musikgeschichte

34. 1972, Heft 5, S. 69: Mettenleiters Registratur für die Geschichte der Musik in Bayern.
35. 1973, Heft 7, S. 144: Frhr. Thaddäus v. Dürnitz und seine Musiksammlung.
36. 1975, Heft 10, S. 19: Ms. A. R. 189 der Proske-Bibliothek Regensburg – ein Beitrag zur Biographie von Valentin Hausmann.

37. Desgl., S. 26: Die Fürstl. Thurn und Taxis'sche Hofmusikkapelle in Regensburg.
38. 1975, Heft 11, S. 49: 100 Jahre Kirchenmusikschule Regensburg.
39. 1978, Heft 16, S. 5: In memoriam Bruno Stäblein.
40. 1979, Heft 18–19, S. 116: Markus Koch zum 100. Geburtstag. Anton Beer-Walbrunn zum 50. Todestag. Joh. Bapt. Schiedermayr zum 200. Geburtstag. P. Lambertus Kraus von Kloster Metten zum 250. Geburtstag.
41. 1981, Heft 22, S. 99: Regensburger Notendrucker und Musikverlage.
42. 1981, Heft 23, S. 23: Zur musikalischen Vergangenheit der Stadt Passau. Ein Überblick.
43. Desgl., S. 103: Hermann Zilcher – Leben und Werk. Eine Würdigung zum 100. Geburtstag am 18. August 1981.
44. Desgl., S. 115: In memoriam Hans Schindler † am 20. Juli 1951 in Würzburg.
45. 1982, Heft 25, S. 35: Die Gesellschaft für Bayerische Musikgeschichte. Ein Rückblick.

Aufsätze in »Der Zwiebelturm«, Monatsschrift für das bayerische Volk und seine Freunde

46. 1962/1: Dr. Carl Proske – Leben und Werk (Gedenkrede zur Eröffnung der Gedächtnisausstellung im Museum der Stadt Regensburg am 18. Dezember 1961).
47. 1964/2: Die Pflege der Kirchenmusik in der Alten Kapelle zu Regensburg.
48. 1964/12: Magnum opus musicum (Recension von W. Boetticher, Aus Orlando di Lassos Wirkungskreis).
49. 1966/11: Dr. Dominikus Mettenleiter – Begründer der musikalischen Lokalforschung in Bayern.
50. 1967/11: Ein unbekanntes Kapitel aus der Musikgeschichte Regensburgs (Die Musikpflege in Regensburg von 1803–1810).
51. 1970/11: Die Regensburger Theaterschule – Zur 165. Wiederkehr ihrer Gründung.
52. Mitarbeit bei »Die Musik in Geschichte und Gegenwart« – Allgemeine Enzyklopädie der Musik – insgesamt 72 Beitäge; Personen-, Orts- und und Sachartikel: katholischer Gemeinde-

gesang/Neuzeit; Kloster Metten; Offertorium; Passau; Regensburg; Vesper/mehrstimmig).

53. Ausgaben für die musikalische Praxis
Musikverlag A. Coppenrath, Altötting: C. Carpani, Missa in F für gemischten Chor; J. M. Casini, Motette »Omnes gentes plaudite« für gemischten Chor; Chr. Sätzel, Weihnachtsmotette »Resonet in laudibus für gemischten Chor u. Orgel; Gesänge alter Meister für die Karwoche für gemischten Chor.
Verlag Pustet, Regensburg: L. Viadana, Missa Dominicalis für 1 Singstimme und Orgel; J. de Fossa, Missa »Ich segge â dieu« für gemischten Chor; Allardo, Missa für gemischten Chor (= Reihe Musica Divina Nr. 10, 13, 16); Gesänge alter Meister in der Chorsammlung. Akad. Druck- und Verlagsanstalt, Graz 1962: G. Poss, Drei Motetten Musik alter Meister, Heft 15).
Verlag Feuchtinger Regensburg: Gr. Aichinger, Tricinia Mariana 1589 für 3 Stimmen; P. Homberger, Cantiones de Nativitate Christi für 4 u. 5 Stimmen (= Musica Divina, Neue Reihe Nr. 20 und 21). J. C. Aiblinger, Motetten für gemischten Chor (Chorsammlung). B. Schott's Söhne, Mainz: Fr. X. Sterkel, Klavierkonzert C-Dur.

TEXTUS PATRISTICI ET LITURGICI

quos edidit Institutum Liturgicum Ratisbonense

Bisher sind erschienen:

Fasc. 1

Niceta von Remesiana, Instructio ad Competentes. Frühchristliche Katechesen aus Dacien. Herausgegeben von KLAUS GAMBER.

VIII + 182 Seiten. 1964.

Fasc. 2

Weitere Sermonen ad Competentes. Teil I. Herausgegeben von KLAUS GAMBER.

136 Seiten. 1965.

Fasc. 3

Ordo antiquus Gallicanus. Der gallikanische Meßritus des 6. Jahrhunderts. Herausgegeben von KLAUS GAMBER.

64 Seiten. 1965.

Fasc. 4

Sacramentarium Gregorianum I. Das Stationsmeßbuch des Papstes Gregor. Herausgegeben von KLAUS GAMBER.

160 Seiten. 1966.

Fasc. 5

Weitere Sermonen ad Competentes. Teil II. Herausgegeben von KLAUS GAMBER.

120 Seiten. 1966.

Fasc. 6

Sacramentarium Gregorianum II. Appendix, Sonntags- und Votivmessen. Herausgegeben von KLAUS GAMBER.

80 Seiten. 1967.

Fasc. 7

Niceta von Remesiana, De lapsu Susannae. Herausgegeben von KLAUS GAMBER. Mit einer Wortkonkordanz zu den Schriften des Niceta von SIEGHILD REHLE.

139 Seiten. 1969.

Fasc. 8

Sacramentarium Arnonis. Die Fragmente des Salzburger Exemplars. Appendix: Fragmente eines verwandten Sakramentars aus Oberitalien. In beratender Verbindung mit KLAUS GAMBER untersucht und herausgegeben von SIEGHILD REHLE.

114 Seiten. 1970.

Fasc. 9

Missale Beneventanum von Canosa. Herausgegeben von SIEGHILD REHLE.

194 Seiten. 1972.

Fasc. 10

Sacramentarium Gelasianum mixtum von Saint-Amand. Herausgegeben von SIEGHILD REHLE. Mit einer sakramentargeschichtlichen Einführung von KLAUS GAMBER.

142 Seiten. 1973.

Fasc. 11

Die Briefe Pachoms. Griechischer Text der Handschrift W. 145 der Chester Beatty Library. Eingeleitet und herausgegeben von HANS QUECKE. Anhang: Die koptischen Fragmente und Zitate der Pachombriefe.

118 Seiten. 1975.

Fasc. 12

Das Bonifatius-Sakramentar und weitere frühe Liturgiebücher aus Regensburg. Mit vollständigem Facsimile der erhaltenen Blätter herausgegeben von KLAUS GAMBER.

122 Seiten. 1975.